EDWARD SCHILLEBEECKX

DIE AUFERSTEHUNG JESU
ALS GRUND DER ERLÖSUNG

QUAESTIONES DISPUTATAE

Herausgegeben von
KARL RAHNER UND HEINRICH SCHLIER

Theologische Redaktion
HERBERT VORGRIMLER

Internationale Verlagsschriftleitung
ROBERT SCHERER

78
DIE AUFERSTEHUNG JESU ALS GRUND DER ERLÖSUNG

Internationaler Marken- und Titelschutz: Editiones Herder, Basel

EDWARD SCHILLEBEECKX

DIE AUFERSTEHUNG JESU ALS GRUND DER ERLÖSUNG

ZWISCHENBERICHT ÜBER DIE PROLEGOMENA ZU EINER CHRISTOLOGIE

HERDER

FREIBURG · BASEL · WIEN

Titel der niederländischen Ausgabe:
Tussentijds verhaal over twee Jezus boeken
© Uitgeverij H. Nelissen B. V., Bloemendaal, 1978

AUS DEM NIEDERLÄNDISCHEN ÜBERSETZT
VON HUGO ZULAUF

232X
Sch33Ys

8102166

Alle Rechte vorbehalten – Printed in Germany
© Verlag Herder Freiburg im Breisgau 1979
Herstellung: Freiburger Graphische Betriebe 1979
ISBN 3-451-02078-5

Vorwort

Das Offenbarungsgeschehen gibt uns durch die Vermittlung der Glaubenserfahrung Anlaß, nachzudenken. Das hat zur Folge, daß uns der christliche Glaubensinhalt in schon weithin theologisch formulierten Aussagen gegeben ist (der Schrift, des kirchlichen Lehramtes, verschiedener Theologien und als Artikulation von Glaubenserfahrungen). Deshalb ist es nur dann verantwortlich, *vom* Glaubensinhalt theologisch-wissenschaftlich zu sprechen, wenn man zugleich auch *dieses Sprechen* über den Glaubensinhalt mitreflektiert. Denn der Offenbarungsinhalt ist uns nie rein, à l'état pur, gegeben, sondern in Glaubenssprache, die bis zu einem gewissen Grad auch immer schon (theologische) Reflexion einschließt; er ist niemals allein reiner Ausdruck unmittelbarer Glaubenserfahrungen. Wer daher theologisch nach dem sucht, was die lebendige Tradition den Offenbarungswert Jesu von Nazaret nennt, wird auch die Struktur dieses gläubigen Sprechens von Jesus mitbedenken müssen. Mit anderen Worten, eine Besinnung auf den Glaubensinhalt muß zugleich eine Besinnung auf die Art und Weise sein, wie (immer von bestimmten theologischen Standpunkten aus) über diesen Inhalt gedacht und gesprochen wird.

Es ist schon oft bemerkt worden, daß es erst beim Abschluß einer Untersuchung, nämlich aus einem gewissen Abstand, möglich ist, Rechenschaft abzulegen von den Wegen und Umwegen, die sich für das Denken beim Gang der Untersuchung als notwendig erwiesen haben. Methodologie wird erst möglich, wenn man sich auf die tatsächlich gebrauchte Interpretationsmethode in einer bestimmten Arbeit besinnt – in diesem Fall in meinen beiden Jesusbüchern: ‚Jesus. Die Geschichte von einem Lebenden‘ (hier zitiert als: I) und ‚Christus und die Christen. Die Geschichte einer neuen Lebenspraxis‘ (hier zitiert als: II).

In dieser *Quaestio disputata* will ich vor allem die Voraussetzungen, die Verstehensprinzipien und die Interpretationsmethode, von denen aus und mit der die beiden Bücher geschrieben sind, erklären und dabei zugleich auf Punkte eingehen, an denen einige Rezensenten Kritik geübt haben oder bei denen von manchen ein verzeichnetes Bild vor allem meines ersten Jesusbuches gegeben wurde. Auf nicht-wissenschaftliche Literatur, vor allem solche, die zum literarischen Genus unchristlicher Pamphlete und Karikaturen gehört, gehe ich hier selbstverständlich nicht ein.

Edward Schillebeeckx OP

Inhalt

Einführung

Unter dem Titel ‚Jesus, die Geschichte von einem Lebenden' erschien 1974 im Niederländischen[1] der erste Teil einer Trilogie, von der 1977 der zweite Teil folgte: ‚Christus und die Christen. Die Geschichte einer neuen Lebenspraxis'[2]. Kurz gesagt: Der erste Band ist ein Jesusbuch, ohne daß dabei der Christus vernachlässigt wird, der zweite ist ein Christusbuch, ohne daß dabei Jesus von Nazaret vergessen wird (II, 16).

Als objektivierte Sprachgegebenheit kann ein Buch auf seinen Verfasser, solange er noch erreichbar ist, zurückschlagen. Sein Text ist zwar eine selbständige Realität geworden neben und außerhalb des Verfassers, der mit anderen jetzt auch selbst Leser seines Buches wird. Solange der Autor jedoch lebt, ist der Text noch nicht ganz objektiviert: Es ist neben dem Umgang mit dem Buch auch noch Kontakt mit dem Autor selbst möglich. Aber genauso wie meine Kritiker bin ich bei der Interpretation dieser beiden Bücher an meinen Text gebunden, wie er objektiv vor uns liegt, und ich darf mich hier nicht auf mögliche andere Absichten berufen, zumindest wenn von diesen in den Büchern selbst überhaupt keine Spur zu finden sein sollte. Daran kann auch der Verfasser nicht vorbei. Damit ist, zumindest programmatisch, eine faire Diskussion möglich, auf der Grundlage eines gemeinsamen Dritten: meines Textes.

Leser nehmen jedoch mit eigenen Fragen ein Buch in die Hand. Das ist ihr gutes Recht. Wenn man dabei nur bedenkt, daß man beim Lesen Akzente setzen kann, wo der Verfasser selbst sie nicht gewollt hat, und daß man dann von diesen selbst gesetzten Akzenten aus ein Buch beurteilt. Die Vielfalt von Blickpunkten, mit denen wir vor allem in unseren

---

[1] Jesus. Die Geschichte von einem Lebenden (Freiburg i. Br. ⁶1978 [¹1975]).
[2] Christus und die Christen. Die Geschichte einer neuen Lebenspraxis (Freiburg i. Br. 1977).

Kirchen leben, scheint mir übrigens zutiefst nicht so sehr oder unmittelbar ein dogmatischer Pluralismus zu sein als vielmehr ein ‚Pluralismus der Ängste und Sorgen'. Von daher wird dann eine Vielheit anderer Akzente, unterschiedlicher Fragestellungen und schließlich vielleicht von Doktrinen verständlich. Diese Vielheit von Sorgen haben wir zu akzeptieren. Aber niemand darf eigene Sorgen und Ängste als allein gültig monopolisieren. Die Sorge um die ‚Orthodoxie' ist berechtigt; die Sorge, die frohe Botschaft unverkürzt, aber zugleich verständlich zu vermitteln, besteht genauso zu Recht und kann in bestimmten Zeiten sogar noch dringender sein. Und dafür kann eine etappenweise vorgehende Einführung der beste Weg sein. Ebendarum war es mir in diesen beiden Jesusbüchern zu tun.

Soweit ich die vielen Reaktionen auf meine beiden Jesusbücher kenne, darf ich das Ergebnis, sowohl auf reformatorischer als auch auf römisch-katholischer Seite, insgesamt positiv nennen. Es lassen sich keine typisch konfessionellen Unterschiede in den Reaktionen feststellen. Beifall und Kritik gehen quer durch die verschiedenen Konfessionen. Es fehlen nur noch typisch jüdische Reaktionen. In bezug auf diese beiden Bücher über Jesus stelle ich daher einen bejahenden Konsens fest, trotz Detaileinwänden, die nicht die Gesamttendenz dieses christologischen Projekts treffen. Das schließt nicht aus, daß auch einige fundamental-kritische Äußerungen zu hören waren, auf die ich kritisch eingehen will. Die Grundabsicht dieses Buches besteht aber vor allem darin, die Verstehensprinzipien darzulegen, aus denen meine beiden Jesusbücher geschrieben sind. Für den, der sie falsch gelesen hat, das heißt aus einer Perspektive, in der sie nicht geschrieben sind, werden damit schon viele Fragezeichen gelöst sein. Diese *Quaestio disputata* ist nicht als eine Apologie oder eine ‚oratio pro domo' gemeint. Wo die Kritik berechtigt ist, werde ich dies zugeben. Ich selbst hatte übrigens im Vorwort meines ersten Buches um (ehrliche) Kritik gebeten. Auffallend ist aber, daß die wirklich grundlegende Kritik gerade nicht von Exegeten, sondern von systematischen Theologen gekommen ist, während ich selbst vor allem auf exegetische Kritik gespannt war. Gerade von deutschen und angelsächsischen Exegeten erhielt ich lobende und ermutigende Briefe. Vielleicht sagt dies schon etwas über die Unruhe, die bei *systematischen Theologen* lebendig ist, vor allem darüber, daß sie mit dem kritischen Ergebnis der heutigen Exegese nichts anzufangen wissen. Vielleicht muß ich paradoxerweise zugeben, daß ich die Kritik von Exegeten trotzdem *anders beurteile* als die der systematischen Theologen, wenn mir auch beide willkommen sind. Der Grund dafür liegt in der Tatsache, daß, was Details betrifft, unter den Exegeten selbst viele Meinungsverschiedenheiten herrschen und weil exegetische Kritik erst dort *systematisch* relevant wird, wo sie meine Grundthesen zunichte machen würde. Sie wird nebensächlich (wenn auch willkommen), wenn sie Details betrifft, welche die eigentliche Tendenz und das eigentliche Unternehmen dieses christologischen Projekts im Grund nicht berühren. Auf solche Einzelheiten gehe ich hier daher nicht ein, selbst dann nicht, wenn Kritik berechtigt ist. Die Kernfrage ist, ob dieses soteriologische und das daraus folgende christologische Projekt eine in der Schrift begründete Basis hat[3].

---

[3] Nach einigem Zögern habe ich beschlossen, auch nicht auf Kritiken einzugehen, die zwar als Beitrag nicht übel sind, doch in Wirklichkeit das wahre Christentum oder die Orthodoxie mit ihrer römisch-hellenistischen Artikulation identifizieren, so daß letztlich die griechische Philosophie zum Kriterium der Beurteilung von Glaubensinterpretationen wird. Daher bespreche ich in dieser Darlegung nicht solche Kritiken, wie *C. de Vogel*, De grondslag van onze zekerheid (Assen–Amsterdam 1977) eine darstellt. Ihre Widerlegung würde eine eigene Abhandlung erfordern.

I.

Der Weg zum Christentum
in einer modernen Welt

Vor dem Zweiten Vatikanischen Konzil hatte in der christlichen Theologie, das heißt im Nachdenken gläubiger Menschen über das, was Gott in und durch Jesus mit uns Menschen eigentlich vorhat, unter den Katholiken eine allgemeine Erneuerung begonnen. Diese Erneuerung folgte aber nur einer Leitlinie: zurück zu den Quellen, denn dort hatte ja alles begonnen. Diese Wende hat die Theologie bereichert. Aber einige Jahre nach diesem Konzil hat die Theologie eine neue, kritische Schwelle überschritten. Schärfer als je zuvor kam man zu der Einsicht, daß die christliche Theologie stets nicht aus einer, sondern aus zwei Quellen schöpft, die man ständig kritisch miteinander in Kontakt halten muß. Nämlich einerseits aus der ganzen Erfahrungstradition der großen jüdisch-christlichen Bewegung und anderseits aus heutigen, neuen menschlichen Erfahrungen von Christen und Nichtchristen. Bei diesen leisten auch die Humanwissenschaften, sogar die Naturwissenschaften einen eigenen Beitrag, denn sie sind mitbestimmend für unsere konkreten, modernen Erfahrungen. Persönlich sehe ich in meinen beiden Jesusbüchern das Verhältnis zwischen diesen beiden Quellen so, daß die jeweils aktuelle Situation, in der wir leben – die zweite Quelle –, ein inneres konstitutives Element des Verstehens von Gottes offenbarendem Sprechen in der Geschichte Israels und in der Geschichte Jesu ist, der von Christen als Heil von Gott her von und für Menschen bezeugt wird – die erste Quelle. Es geht also nicht, wie man früher oft gedacht hat, darum, das, was wir aus der biblischen Tradition von vornherein schon gut zu kennen glauben, auf unsere heutige Situation *anzuwenden*. Im Gegenteil, die Einsicht ist gewachsen, daß niemand imstande ist zu ergründen, was die evangelische Botschaft *heute für uns genau bedeutet*, außer in Beziehung zu unserer heutigen Situation. Wir können das Wort ‚Gott‘, das Jesus in seiner Botschaft des Heils für Menschen in den Mittelpunkt gestellt hat, in unserem Leben erst und nur dann sinnvoll gebrauchen – für manche unter uns vielleicht erst von neuem gebrauchen –, wenn das Wort ‚Gott' tatsächlich als eine befreiende Antwort auf reale Lebensprobleme erfahren wird. Ist das so, dann muß es in unseren heutigen Erfahrungen auch wirkliche Anlässe geben, Gott menschlich sinnvoll zur Sprache zu bringen. Sonst wiederholen wir nur traditionell, was wir von anderen gelehrt worden sind; aber unter diesen Umständen lassen heutige Menschen früher oder später dieses Angelernte fallen, weil sie es als nicht-relevant für ihre alltäglichen und zutiefst menschlichen Lebensprobleme erfahren. Das ‚Vogel, friß oder stirb' gibt es bei heutigen Menschen tatsächlich nicht mehr.

Dieses Problem einer wesentlichen Beziehung zwischen Glaube und Erfahrung oder eigener Lebenswelt ist eigentlich nicht neu; vom Neuen Testament an läßt sich sogar die ganze Geschichte der Theologie daraus verständlich machen. Aber in der Vergangenheit ging es dann um elitäre Erfahrungen intellektueller Kleriker, das heißt um immer wieder neue akademische Systeme und Methoden, bei denen das allgemeine Zeitgefühl allerdings keineswegs unberücksichtigt blieb. Heute geht es um unsere alltäglichen Erfahrungen, um das Lebensgefühl von Menschen in der Welt, um ihre tiefsten Sinn-, Lebens- und sozialen Probleme.

Ein Bruch zwischen dem praktizierten Glauben und den heutigen Erfahrungen wird aber vor allem bedenklich in einer modernen Welt, in der die Religion nicht mehr der Kitt der Gesellschaft ist und deshalb aus dem gesellschaftlich-kulturellen Leben keine Bestätigung mehr erhält. Wegen dieser neuen Situation sind die Religionen jedoch manchen neuen Risiken ausgesetzt, wie etwa der Tendenz, sich auf das beschränkte Gebiet des Privaten zurückzuziehen, wo noch ein Raum geblieben zu sein scheint, oder Religion auf eine ethische Schule für die Gesellschaft (im Sinn einer ethischen Erweckung oder in gesellschaftskritischer Richtung) zu reduzieren, um so mit Hilfe der Makroethik die Integrationskraft wieder gewinnen zu können, ohne die keine Religion leben kann – oder, schließlich, sich nostalgisch zurückzusehnen nach dem alten Bild der Kirche, in dem die Religion der alles integrierende Faktor der Gesellschaft gewesen ist.

Die institutionellen Aspekte aller Religionen stehen gegenwärtig insgesamt zur Diskussion, aber keine soziologische Analyse hat gezeigt, daß die religiöse Dimension der menschlichen Existenz aufgehört hat, Menschen zu faszinieren. Und wenn auch Institutionen und

Dogmen wesentliche Aspekte der Religion sind, sie bleiben doch der auf einen Gott bezogenen religiösen Erfahrung, das heißt der religiösen Ausrichtung des Glaubens, untergeordnet.

Anderseits stellen wir fest, daß gerade in einer säkularisierten Welt die Erfahrung der Entfremdung auf eine neue, sogar durchdringende Weise spürbar wird, denn vor allem der säkulare Fortschrittsglaube auf der Grundlage von Wissenschaft und Technologie hat in unseren Tagen einen empfindlichen Schlag erhalten. Die Folge von all dem ist jedoch, daß Erfahrungen selten oder nie *unzweideutig* als religiös interpretiert werden. Doch kann Religion, wenn sie sich nicht selbst zerstören will, nicht auf ihre Fähigkeit zur endgültigen Integration verzichten, wenn diese auch heute anders wirksam wird als früher. Die religiöse Integrationskraft fällt nämlich keineswegs zusammen mit der Funktion, wie diese einst gültig war: daß Religionen nötig sind, um die Grundwerte einer Gesellschaft zu bewahren oder gesellschaftliche Einrichtungen zu legitimieren, die sich früher offensichtlich nicht selbst tragen konnten. Man muß eher sagen, daß jene Erfahrungen, die den modernen Menschen weltlich machen, ihn zugleich mit neuen Erfahrungen und Entscheidungen konfrontieren. In einer säkularisierten Welt *erfährt* der Mensch das Religiöse nicht mehr *pathisch* oder passiv, in einer Art ‚high‘-Erlebnis (oder es erregt schon a priori Argwohn). Die heutige religiöse Haltung spiegelt offensichtlich eine persönliche und reflexive Antwort wider auf Erfahrungen, die in verschiedene – nämlich religiöse und nicht-religiöse – Richtungen weisen können. Religion hatte und hat, trotz des oberflächlichen Anscheins von Unmittelbarkeit, immer etwas Reflexives, ohne daß dies die Spontaneität aufzuheben braucht. In der säkularisierten Welt fällt dies nur stärker auf. Der moderne Mensch reflektiert bestimmte Erfahrungen und interpretiert sie, oft vorsichtig tastend, religiös. Die doppeldeutigen Erfahrungen, die er macht, sind sowohl positiv (in Richtung auf Unendlichkeitserlebnisse) als auch negativ (Endlichkeitserlebnisse). Sie konfrontieren den heutigen Menschen mit einer Entscheidung, das heißt, sie sind ein Aufruf zu und eine Erfahrung mit diesen Erfahrungen[1]. Leben in einer Leere, die sich jeden Augenblick

---

[1] Der Ausdruck ‚Erfahrung mit Erfahrungen‘ wurde – soweit ich sehe, offensichtlich unabhängig voneinander – zum erstenmal gebraucht von *E. Jüngel*, Unterwegs zur Sache (München 1972) 8 (ebenfalls in seinem neuen Buch: Gott als Geheimnis der Welt

schließen kann, und die Freiheit als permanente Herausforderung und Belastung schaffen ein Gespür für das Prekäre unseres Daseins, das vielleicht intensiver ist als je zuvor. Mehr noch, gerade in ihren gesellschaftlichen Erfolgen fühlen sich Menschen am meisten bedroht. *Die Bedrohung selbst nimmt ,transzendente' Formen an.* Solche Erfahrungen sind als solche nicht religiös (manche geben sogar deshalb ihren alten Glauben auf), aber sie bringen den Menschen doch *an eine Grenze,* an etwas Endgültiges: entweder zu der Überzeugung, daß die nackte und leere Faktizität des Daseins das endgültig düstere letzte Wort ist, oder zu dem positiven Glauben an eine barmherzige transzendente Wirklichkeit. Diese doppeldeutigen Erfahrungen provozieren eine Entscheidung; nicht eine zerebrale Entscheidung, sondern eine Erfahrung mit diesen ambivalenten Erfahrungen, um so zu einer sinngebenden Interpretation zu kommen. Aber der Übergang von den vagen, ungerichteten und doppeldeutigen Erfahrungen zu einer positiven religiösen Erfahrung führt (in jeder religiösen Interpretation) zu einer Integration dieser ersten ambivalenten Erfahrungen in eine neue Erfahrung, nämlich von bewußt antizipierter Totalität: Religion. Ein solcher Mensch hat eine alternative Erfahrung mit schon gemachten Erfahrungen.

Doch geschieht diese Erfahrung mit Erfahrungen faktisch nie in abstracto noch durch den isolierten einzelnen, sondern immer durch jemanden, der in einer bestimmten Kultur und in einer religiösen – etwa christlichen oder buddhistischen – Erfahrungtradition lebt. Diese religiöse Erfahrung mit ambivalenten menschlichen Erfahrungen wird erst dann zu einer christlichen Glaubenserfahrung, wenn jemand im Licht dessen, was er vom Christentum gehört hat, *in* dieser Erfahrung-mit-Erfahrungen zu der Überzeugung kommt: „Ja, so ist es; das ist es." Was von Kirchen in ihrer Botschaft als eine Lebensmöglichkeit verkündet wird, die auch von anderen erfahren werden kann, und was

---

[Tübingen 1977] 25) und von G. *Ebeling,* Das Erfahrungsdefizit in der Theologie, in: Wort und Glaube Bd. III (Tübingen 1975) 22. Mit diesem Ausdruck meinen beide Autoren, daß Gotteserfahrung oder Glaube wesentlich auch eine Selbst- und Welterfahrung einschließt. Mit vielen anderen schließe ich mich dem an (siehe II, 49); aber selbst gebrauche ich hier die Terminologie ,Erfahrung mit Erfahrungen', wie aus dem Zusammenhang hervorgeht, in einer etwas anderen Bedeutung. In beiden Bedeutungen schließt dies jedoch ein, daß die Theologie immer auf Erfahrung angewiesen bleibt (siehe II, 24–57).

für sie vorläufig nur ein „Suchprojekt"[2] genannt werden kann, wird *in* dieser Erfahrung mit Erfahrungen (innerhalb des gegebenen Suchprojekts) schließlich ein ganz persönlicher Akt christlichen Glaubens – eine persönliche Glaubensüberzeugung mit einem konkreten, christlichen Glaubensinhalt. In einer modernen Welt werden Menschen das christliche Glaubenscredo nicht länger auf die bloße Autorität anderer hin annehmen, sondern in und durch eine Erfahrung-mit-Erfahrungen, interpretiert im Licht dessen, was die Kirche ihnen aus einer langen christlichen Erfahrungsgeschichte vermittelt. Es hat den Anschein, daß dies für viele der Weg zu Religiosität und zum Christentum werden wird, und nicht länger mehr der Weg des Christseins von Geburt an.

Die sich daraus ergebenden Konsequenzen für Katechese und Theologie sind äußerst bedeutsam. Sie sind auch die fundamentalen Voraussetzungen, von denen aus meine beiden Jesusbücher geschrieben sind. Denn wenn ich die Voraussetzung für den Glauben in einer modernen Welt richtig sehe, bedeutet dies, daß Katechese und Verkündigung nicht nur die heutigen menschlichen Erfahrungen erhellen müssen, sondern daß sie auch so verantwortlich, so genau und suggestiv wie möglich entfalten müssen, was die christliche Daseinsorientierung in unserer Zeit für die Menschen konkret bedeuten kann. Menschen müssen wissen, mit welchem ‚Suchprojekt' sie sich befassen und worauf sie sich einlassen wollen. Aber wenn die Kirchen ihre alte christliche Erfahrungstradition in einem für heutige Menschen fremden Begriffssystem darstellen, dann ist den meisten Menschen von vornherein schon die Lust genommen, nach *diesem* Suchprojekt als möglicher Deutung ihrer Erfahrungen zu greifen. Anderseits ist Erfahrungskatechese, wenn sie ohne Entfaltung der Geschichte Jesu erfolgt, christlich nicht wirksam. Wer Gott ist, wie er erfahren werden will, hat nach der christlichen Glaubenstradition Gott selbst in einer besonderen Geschichte gezeigt, in einem Geschehen, das seinen Grund in Jesus und dessen Vorgeschichte hat. Diese Geschichte wird so klar wie möglich erzählt werden müssen, damit Menschen ‚mit ihren menschlichen Erfahrungen' eine *christliche* Erfahrung machen können wollen. Gotteserfahrung wird also durch Geschichten von Erfahrungen vermittelt,

---

[2] Der Begriff ‚Suchprojekt' stammt von *H. Kuitert*, Wat heet geloven? Structuren en herkomst van de christelijke geloofsuitspraken (Baarn 1976), vor allem 115–119.

welche die Hörer so einbeziehen, daß sie mit und in menschlichen Erfahrungen zu ähnlichen, nämlich *christlichen* Erfahrungen kommen können.

Aus dieser Einsicht sind die beiden Jesusbücher geschrieben, wenn auch nicht auf katechetischer, sondern auf theologischer Ebene.

II.

Es begann mit einer
ganz bestimmten Erfahrung

Eine bestimmte Erfahrung steht am Ursprung des Christentums. Denn es begann mit einer Begegnung. Einige Menschen, Juden, kamen in Berührung mit Jesus von Nazaret und blieben, von ihm fasziniert, bei ihm. Durch diese Begegnung und durch das, was in seinem Leben und später um seinen Tod geschah, erhielt ihr eigenes Leben neuen Sinn und neue Bedeutung. Sie fühlten sich neugeboren und verstanden. Ihre neue Identität drückte sich in einer neuen Begeisterung für das Reich Gottes und daher in ähnlicher Solidarität gegenüber dem anderen, dem Mitmenschen, aus, wie sie Jesus ihnen vorgelebt hatte. Diese Änderung der Lebensrichtung war die Frucht ihrer realen Begegnung mit Jesus, denn ohne ihn wären sie die geblieben, die sie waren, so haben sie selbst später erzählt (siehe 1 Kor 15,17). Das war nicht eigene Initiative gewesen, es war ihnen widerfahren.

Diese überraschende und überwältigende Begegnung einiger Menschen mit einem Stammes- und Religionsgenossen, Jesus von Nazaret, wurde der Ausgangspunkt für die Heilsauffassung des Neuen Testaments. Das bedeutet schon, daß Gnade und Heil, Erlösung und Religion nicht in ungewöhnlichen, stark ‚übernatürlichen‘ Begriffen ausgedrückt zu werden brauchen, sondern in gewöhnlicher menschlicher Sprache, der Sprache der Begegnung und Erfahrung, vor allem der Bilder, des Zeugnisses und der Erzählung, nie isoliert von konkret befreiendem Geschehen. Und doch ist hier göttliche Offenbarung im Spiel.

Unausgesprochen sind damit die fundamentalen Verstehensprinzipien dieser beiden Jesusbücher formuliert, sozusagen die Angeln, um die sich die ganze Geschichte dieser beiden Bücher dreht. Gerade diesen Hintergrund, vor dem die beiden Bücher konzipiert und ausgearbeitet worden sind, will ich hier in den Vordergrund rücken. Diese Verschiebung, vom Hintergrund zum Vordergrund, kann den unbefangenen Leser auf die rechte Bahn lenken und dabei subjektiver Voreingenommenheit von vornherein kritisch begegnen.

A. OFFENBARUNG UND ERFAHRUNG

Die beiden Jesusbücher sind aus der alt- und neutestamentlichen Selbstverständlichkeit geschrieben, daß Offenbarung und Erfahrung keine Gegensätze bilden. Gottes Offenbarung folgt dem Weg menschlicher Erfahrungen. Offenbarung – reine Initiative der menschenliebenden Freiheit Gottes – übersteigt wesensgemäß jede menschliche Erfahrung, das heißt, sie kommt nicht *aus* subjektiv-menschlichem Erfahren und Überlegen; aber sie kann sich anderseits nur *durch* menschliche Erfahrungen und *in* menschlichen Erfahrungen wahrnehmen lassen. Außerhalb irgendwelcher Erfahrung gibt es auch keine Offenbarung. Gottesoffenbarung ist zwar alles andere als ein menschliches Produkt oder menschliches Projekt, aber das schließt nicht aus, daß sie auch menschliche Projekte und Erfahrungen *umfaßt*. Das heißt also keineswegs, daß sie außerhalb unserer Erfahrung fällt. Offenbarung zeigt sich in einer langen Folge von Ereignissen, Erfahrungen und Interpretationen. Aber wenn Christen behaupten, daß Jesus Gottes entscheidende Offenbarung ist, liegt in ihrem Selbstverständnis ein doppelter, objektiver und subjektiver, Aspekt. *Einerseits* sind es Menschen (Christen), die behaupten: *So sehen wir* ihn. Diese Behauptung weist zunächst hin auf bestimmte Wirkungen Jesu auf diese Jünger, die in ihrer eigenen Sprache fest behaupteten: Wir haben Jesus als entscheidendes und endgültiges Heil von Gott her erfahren. *Anderseits* liegt, nach demselben Selbstverständnis der Jünger, in dieser Behauptung auch die Absicht: *So muß man* ihn sehen, denn so *ist* er. Die Behauptung sagt auch etwas über Jesus selbst, nämlich daß er der höchste Selbstausdruck Gottes ist. Nach dem Neuen Testament ist es die besondere Beziehung Jesu zum Reich Gottes, die ihn zu unserem Heil macht, insofern er uns dieser Beziehung teilhaftig macht und uns aufschließt für den alten Traum Israels: Gottes Reich als Heil für Menschen. Zwar war die *Erfahrung von Heil* primär, aber gerade diese Erfahrung löste unvermeidlich die Frage aus: Wer ist *er,* der solches zu tun vermag? Mit anderen Worten, das Neue Testament spricht so von der Person Jesu, daß dieses Sprechen erklärt, warum Jesus imstande war, das zu tun, was er getan hat. Der Glaube der Jünger konstituiert Jesus nicht zu Gottes entscheidender Offenbarung, obwohl sie ohne Glaubenserfahrung auch nichts über Offenbarung sagen können: Die interpretative Erfahrung gehört wesentlich zum Begriff Offenbarung. Aber wenn Jesus selbst wirklich unbedeutend gewesen wäre und wir im Neuen Testament nur subjektive Urteile über ihn hörten, dann fiele meines Erachtens der Grund weg, Christ zu werden oder es zu bleiben (wenn auch das Neue Testament uns Menschen *dann noch* viele Anregung schenken könnte). Soteriologie ist der Weg zur Christologie – das wird aus dem Neuen Testament deutlich!

Der Mensch weiß, daß es einen Unterschied gibt zwischen der Art und Weise, wie die Dinge wirklich sind, und der Art und Weise, wie sie ihm erscheinen. Das braucht keineswegs ein Dualismus zwischen ‚Ereignissen‘ und ‚subjektiver Erfahrung‘ zu sein. Die Tatsache, daß jemand eine Erfahrung macht, ist selbst ein neues Faktum, und als solches muß es von der Art und Weise unterschieden werden, wie diese Fakten von einem anderen oder von ihm selbst zu einem anderen Zeitpunkt erfahren werden. Als von uns erfahren, sind die Fakten also keineswegs ausschließlich durch unsere persönliche Perspektive strukturiert; sie sind so, wie sie uns innerhalb unserer Perspektive erscheinen, durch ihren ‚eigenen Beitrag‘ mit bestimmt. Unser Erfahren von Dingen und Ereignissen, in Natur und Geschichte, ist also nicht jenen Dingen und Ereignissen adäquat. Deshalb wird das ‚Verhalten der Dinge‘ allen unseren Erwartungen oft diametral zuwiderlaufen. Die Prüfung unserer Projekte, Anschauungen und Erwartungen, das heißt die Prüfung der Adäquatheit unserer Behauptungen mit Erfahrungstatsachen, ist dann prinzipiell möglich und in einem bestimmten, sinnvollen und menschlicherweise hinreichenden Grad auch realisierbar. ‚Was sich ankündigt‘ übersteigt in dem, was es ist, unsere perspektivische Wahrnehmung und Erfahrung, und seinerseits übersteigt der Mensch selbst in etwa auch die eigene Perspektive. Vor diesem Hintergrund müssen wir sagen, daß Offenbarung sich in einem langen Prozeß von Ereignissen, Erfahrungen und Interpretationen vollzieht und nicht in einem übernatürlichen ‚Eingriff‘, sozusagen wie ein Zaubertrick, obwohl sie doch keineswegs ein menschliches Produkt ist: Sie kommt ‚von oben‘. Nicht *aus,* sondern *in* unseren Erfahrungen manifestiert sich die Selbstoffenbarung Gottes als innerer Hinweis auf das, was diese Erfahrung und interpretative Glaubenssprache ins Leben gerufen hat. In der gläubigen Erfahrungsantwort wird das Angesprochenwerden von Gott letztlich transparent, wenn auch in menschlicher Ausdrucksweise.

Menschen *begründen* also keineswegs die Offenbarung, diese begründet vielmehr unsere Glaubensantwort. Das mit-,konstituierende' Glaubensbewußtsein erfährt sich selbst als *konstituiert*. Aber es sind doch Menschen, die behaupten, aufgrund von Offenbarung zu sprechen, und dann müssen sie auch Verantwortung ablegen. Eigene Worte und Ansichten werden sonst allzuleicht für das ausgegeben, was ,das Wort Gottes' genannt wird – das, was ,von oben' kommt!

B. ERFAHRUNG UND INTERPRETATION

Bei der zweiten Angel, um die sich meine beiden Jesusbücher drehen, geht es um das Verhältnis – in der menschlichen Erfahrung und somit in dem Erfahrungsaspekt der Offenbarung – zwischen dem Element der *Erfahrung* und dem Element der *Interpretation* oder der Artikulation derselben (nennen wir es hier das ,Interpretament', gleichgültig wie andere Autoren das verstehen) (siehe I, 651).

Interpretation beginnt nicht erst dort, wo nach dem Sinn dessen, was man erfahren hat, gefragt wird. Interpretierende Identifizierung ist schon ein inneres Moment der Erfahrung selbst, zunächst unausgesprochen, später reflexiv bewußt. Es gibt aber in unseren Erfahrungen Interpretationselemente, die ihren Grund und ihre Quelle unmittelbar im Erfahrenen als solchem finden, als Inhalt einer bewußten, also ziemlich transparenten Erfahrung, und es gibt Interpretationselemente, die uns zumindest außerhalb dieser Erfahrung von anderswo angereicht werden, wenn sich dieser Unterschied auch nie scharf oder adäquat durchhalten läßt. So trägt beispielsweise eine Erfahrung von Liebe in ihrem Erfahren selbst schon interpretative Elemente, nahegelegt durch die konkrete, eigene Liebeserfahrung. Die erfahrene Liebe weiß von sich selbst, was Liebe ist, sie weiß sogar mehr davon, als sie in diesem Augenblick ausdrücken kann. Diese interpretative Identifizierung ist also ein inneres Moment der erfahrenen Liebe. Später wird man die Liebeserfahrung vielleicht auch in einer Sprache ausdrücken, die etwa Romeo und Julia entnommen ist, dem biblischen Hohenlied, der Hymne des Paulus an die Liebe oder irgendeiner modernen Dichtung. Diese weitere Thematisierung ist keineswegs ein gleichgültiger und sinnloser Überbau. Interpretation und Erfahrung beeinflussen sich gegenseitig. Die wirkliche Liebe lebt aus der Liebeserfahrung und aus ihrem eigenen fortschreitenden Selbstausdruck (in I, 485–486 nenne ich Aussagen aus der ersten, ursprünglichen, interpretativen Erfahrung ‚first order'-Aussagen). Dieser zunehmende Selbstausdruck ermöglicht erst die Vertiefung der ursprünglichen Erfahrung; aus der Erfahrung offenbart er diese Erfahrung sich selbst ausdrücklicher (in I, 485–486 nenne ich Aussagen aus einer weiter fortgeschrittenen reflexiven, interpretativen Erfahrung ‚second order'-Aussagen; was also keineswegs die eher ungünstige Bedeutung von Aussagen ‚zweiten Ranges' zu haben braucht – im Gegenteil!).

So wurde auch die erste Erfahrung der Begegnung einiger Menschen mit Jesus zu einem sich weiter entwickelnden Selbstausdruck, der letztlich auf das hinauslief, was *Christologie* genannt wird. Eine Christologie (die bei ihrer Sache bleibt) ist daher die Geschichte einer besonderen Begegnungserfahrung, die das identifiziert, was sie *erfährt*, das heißt, die dem Erfahrenen einen Namen gibt.

Diese identifizierenden Erfahrungen der ersten Christen wurden nach einer bestimmten Zeit schriftlich festgehalten. Jede einzelne neutestamentliche Schrift handelt in Wirklichkeit von dem in und durch Jesus erfahrenen Heil. Die darin zum Ausdruck gebrachten Gnadenerfahrungen geben das gleiche fundamentale Geschehen und eine von allen gemeinsam anerkannte Grunderfahrung wieder, obwohl doch jede neutestamentliche Schrift dieselbe, christlich allgemein geteilte Grunderfahrung in ganz eigener Weise wiedergibt. Sowohl die Synoptiker als auch der Paulinismus und der Johanneismus (um nur drei grundlegende Strömungen im Neuen Testament zu nennen) hatten ja selbst eine Vorgeschichte, in der Erfahrung von Heil und Gnade und deren Interpretation *schon gegeben* waren: alttestamentlich, zwischentestamentlich und frühchristlich oder vorneutestamentlich.

Wer diesen ganzen historischen Prozeß überblickt, wird verstehen, daß sich die neutestamentliche Theologie von Heil und Erlösung *von uns nicht regelrecht aktualisieren läßt*, das heißt, diese biblische Auffassung kann uns *nicht direkt* oder ‚*unvermittelt*' ansprechen. Die Konsequenz ist: Eine theologische Analyse der neutestamentlichen Heilsbegriffe erhält erst dann eine wirkliche Chance, Inspiration und Orientierung heutiger Menschen zu gewährleisten, wenn diese theologische Analyse verbunden ist mit einer Einsicht in die historischen Vermittlungen, damals und heute. Im Neuen Testament werden wir mit einer Grunderfahrung konfrontiert, die alle diese Schriften verbindet und sie deshalb letztlich in ein kanonisches ‚Neues Testament' aufnehmen konnte: Jesus, erfahren als entscheidendes und definitives Heilsgeschehen: Heil von Gott, Israels alter Traum. Aber gerade weil es um *Erfahrung* geht, drücken die Autoren dieses Heil in den Begriffen ihrer Lebenswelt, ihres eigenen Milieus und ihrer eigenen Fragestellungen, also ihrer Erfahrungswelt, aus. Gerade diese läßt uns im Neuen Testament bemerkenswerte Unterschiede sehen. Das ist der Grund, warum in der Schrift so unterschiedlich über die Heilsbedeutung Jesu gesprochen wird (II, 104–610).

Alle diese Variationen habe ich aufzeichnen wollen, sowohl die vorneutestamentlichen (vor allem Buch I) als auch die neutestamentlichen (vor allem Buch II). Die Frage war: Wie interpretieren die verschiedenen neutestamentlichen Autoren die Grunderfahrung, die sie mit Jesus gemacht haben? Denn private Erfahrungen geschehen immer in bestimmten Interpretationsrahmen. Deshalb ist es auch notwendig, nach dem jeweiligen Interpretationsrahmen zu suchen, durch den die christliche Grunderfahrung ‚gefärbt‘ wurde. Denn Menschen erfahren Heil nie in abstracto, sondern in ihren (untereinander verschiedenen) Lebenszusammenhängen. Auch dieser Zusammenhang muß also immer wieder untersucht werden, denn die Beziehung zu *ihrer* Gegenwart war für sie mitentscheidend dafür, wie *sie* Heil in Jesus erfahren und verstanden haben – wenn darin auch immer wieder *bleibende* Lebensprobleme, immer wieder anders erlebt, wiederkehren.

Wenn wir diesen Horizont wirklich untersucht haben, sind wir aber noch nicht fertig. Denn wir selbst leben in wieder einer anderen Lebenswelt, mit anderen Fragen und Problemen und auch mit ewigmenschlichen Problemen, wenn auch immer in anderer historischer gesellschaftlich-kultureller Ausprägung und Form. Was wir in der Bibel gefunden haben, können wir also nicht einfach auf unsere Lebenswelt ‚anwenden‘, als könnten wir einen zeitlosen Kern aus einer historischen Schale herausschälen. Die neutestamentlichen Autoren liefern uns die christliche Botschaft ja nicht rein, sondern nur gefärbt durch ihre damalige Lebenswelt. Die Frage ist dann: Inwieweit kann diese – persönlich und kollektiv – biographisch gefärbte Geschichte ihres Erlebens von Heil in Jesus uns heute noch inspirieren und orientieren? Und sind wir als Christen an alle ‚Interpretamente‘, das heißt an alle jüdischen und griechischen Erfahrungsbegriffe der damaligen Lebenswelt, gebunden? In der christlichen Erfahrungstradition, jetzt schon seit fast zweitausend Jahren, werden sich diese Interpretationselemente selbst immer mehr ansammeln. Mit Recht! Denn in jeder Epoche werden Christen ihre Erfahrung von Heil in Jesus in zeitgenössischen Erfahrungsbegriffen auszudrücken suchen. Aber dann besteht doch die Gefahr, daß Christen von heute sich an *bestimmte Interpretamente* der Vergangenheit klammern, mehr als an die *Heilswirklichkeit*, die durch diese in vielen Sprachen und Zungen interpretiert wird. Viele dieser Auslegungen waren für Christen der Vergangenheit lebendiger Ausdruck täglicher Lebenserfahrungen in ihrem gesellschaftlich-kulturellen Umkreis (etwa Freikauf von Sklaven; kultische Tieropfer; einen mächtigen Fürsprecher haben in höheren Kreisen, Weltherrscher usw.), während sie das für uns nicht mehr sind. Man kann – durch alle Zeiten hindurch – den Christen, der an den Heilswert des Lebens und Todes Jesu glaubt, wahrhaftig nicht dazu verpflichten, einfach an all diese ,Interpretamente' oder Auslegungen zu glauben. Früher einmal sinnvolle und suggestive Bilder und Interpretationen können in einer anderen Kultur irrelevant werden. Ob man in unserer gegenwärtigen Kultur, der es vor sakralen Schlachtungen graut, die Heilsbedeutung des Todes Jesu etwa noch ein blutiges Kultopfer wird nennen können als Forderung eines zornigen Gottes, der durch dieses Opfer beruhigt werden soll, ist sehr die Frage. Gerade das wird unter heutigen Verhältnissen den authentischen Glauben an die wirkliche Heilsbedeutung dieses Todes in Mißkredit bringen; es widerspricht den kritisch verantworteten modernen Erfahrungen.

Das Neue Testament fühlt sich frei, in unterschiedlichen Begriffen von Heilserfahrung mit Jesus zu sprechen, wenn nur in diesen unterschiedlichen Interpretamenten tatsächlich ausgedrückt wird, was wirklich in Jesus erschienen ist. Das gibt auch uns die Freiheit, dieselbe Heilserfahrung, die wir mit Jesus machen, von neuem darzustellen und in Schlüsselworten niederzuschreiben, die aus unserer zeitgenössischen modernen Kultur mit ihren eigenen Problemen, Erwartungen und Nöten genommen sind, selbst wenn sie auch wieder unter der Kritik der Erwartung Israels stehen, *wie* diese in Jesus in Erfüllung gegangen ist. Mehr noch, wir müssen es tun, *um* dem treu bleiben zu können, was die neutestamentlichen Christen in Jesus an Heilserfahrung erlebt, als Botschaft verkündet und uns daher verheißen haben. Der folgende Abschnitt wird diese Notwendigkeit noch besonders betonen.

C. INTERPRETIERENDE ERFAHRUNG
UND DENKEN IN MODELLEN

Diese kurze Darlegung über Offenbarung, Erfahrung und Interpretation würde uns vom tatsächlichen Offenbarungsprozeß ein verzeichnetes Bild geben, wenn wir damit nur behaupteten, daß mit jeder Erfahrung auch begriffliche und bildhafte Artikulationen verbunden sind. Unsere Zeit ist zu der Erkenntnis gelangt, daß Begriff und Modell nicht dasselbe sind. Seit I. Kant und den heutigen wissenschaftstheoretischen Diskussionen um K. Popper, Th. S. Kuhn, I. Lakatos, Feyerabend, die Erlanger Schule usw. (siehe Lit.: II, 837–838, A. 1) ist die Einsicht eines gewissen Primats der Theorie oder des Modells vor der Erfahrung gewachsen; zumindest in dem Sinn, daß es einerseits keine Erfahrungen gibt ohne zumindest implizite Theorie, daß anderseits Theorien nicht durch Induktion aus Erfahrung abgeleitet werden können, sondern die eigene schöpferische Initiative des menschlichen Geistes sind.

Das hat zur Folge, daß auch biblische und kirchliche Glaubensaussagen nicht rein und allein artikulierende Ausdrücke oder Interpretationen bestimmter, ‚unmittelbarer religiöser Erfahrungen‘ sind (etwa Erfahrungen mit Jesus). Mehr oder weniger bewußt drücken sie auch Theorie aus. Das sogenannte interpretative Moment der Erfahrung wird selbst wieder in einen allgemeineren, nämlich theoretischen Interpretationsrahmen eingefaßt. Solche theoretischen Rahmen finden wir nachweislich im Alten und Neuen Testament selbst. Beide Schriftenreihen drücken nicht nur unmittelbare religiöse Erfahrungen aus, sie arbeiten auch mit theoretischen Modellen, von denen aus sie ein Stück Erfahrungsgeschichte Israels zu erfassen versuchen. So interpretiert im Alten Testament der Jahwist die jüdische Erfahrungsgeschichte anders als etwa die Priesterliche und die Deuteronomistische Tradition. Sie arbeiten also mit verschiedenen Interpretationsmodellen; modern ausgedrückt: mit unterschiedlichen Theorien. Weniger deutlich vielleicht, aber genauso wirklich tut das Neue Testament das gleiche, ebenso wie die Konzilsdogmen aus einem bestimmten Denken-in-Modellen entstanden sind. In II, 25–69 habe ich diesen grundlegenden Aspekt eher nur angetippt (II, 28–29), nicht ausgeführt, allerdings würde das Problem eine genauere Ausarbeitung verlangen. Auch dieses Bewußtsein von dem Vorhandensein theoretischer Modelle, in denen alle religiösen, biblischen Aussagen erfolgen, hat mich bewußt in der Ausarbeitung meiner beiden Jesusbücher geleitet.

In Glaube und Theologie ist es also nicht so ganz anders als in den Wissenschaften und den normalen menschlichen Erfahrungen: Artikulierte Erfahrungen stehen schon unter einer (thematisierten oder nicht thematisierten) Theorie. Durch die Auseinandersetzungen über den wechselseitigen Einfluß von Erfahrung auf Theorie und von Theorie auf Erfahrung ist in unserer Zeit deutlich geworden, daß eine Dogmatisierung der Erfahrung genauso unbegründet ist wie eine Dogmatisierung der Theorie; anderseits, daß wir nicht umhin können zuzugeben, daß auch jede Glaubensaussage nicht bloße Wiedergabe einer religiösen Erfahrung ist (ob mit eigenen oder fremden Begriffen), sondern *auch Theorie* (und daß diese deshalb der Überprüfung bedarf). Das naive Vertrauen auf sogenannte unmittelbare Erfahrungen scheint mir daher eine Form von Neo-Empirismus zu sein. Eine Theorie, so wurde gesagt, kommt als solche nie durch Induktion aus Erfahrungen zustande; sie ist eine autonome Wirklichkeit des schöpferischen menschlichen Geistes, mit dem der Mensch (selbstverständlich: schon geprägt durch eine lange Erfahrungsgeschichte) Erfahrungen begegnet. In dem, was jemand eine religiöse Erfahrung nennt, steckt daher nicht nur Interpretation (im Sinne bestimmter Begriffe und Bilder), sondern außerdem ein theoretisches Modell, von dem aus er unterschiedliche Erfahrungen zu einer Synthese bringt.

Eine Glaubensaussage, mit anderen Worten jede Glaubenssprache, die über Offenbarung spricht, verarbeitet zugleich ein theoretisches Modell, das *als solches* hypothetisch bleibt, obwohl es doch das Erfahrene, und somit das darin Geoffenbarte, innerlich in seiner konkreten Artikulation bezeichnet. Glaubensaussagen sind daher auch theoretische Aussagen und nicht bloß ‚Erfahrungsaussagen‘. Wie jede Theorie wollen sie möglichst viele Erfahrungsphänomene so einfach und klar wie möglich erklären oder erhellen. Der einen Theorie gelingt das besser und anders als der anderen. So verwendet im Alten Testament die Priesterliche Tradition[1] ein ganz anderes Interpretationsmodell gegenüber der historischen Erfahrung – ein Modell, das auf Stabilisierung fußt – als das prophetische Interpretationsmodell, das auf Verän-

---

[1] Siehe N. *Lohfink*, Unsere großen Wörter. Das Alte Testament zu Themen dieser Jahre (Freiburg i. Br. 1977), vor allem 44–56, 76–91 und 156–189.

derung und Zukunft gerichtet ist. Die Priesterliche Interpretation von Erfahrungen der Geschichte Israels gebraucht das Modell einer idealen stabilen Welt, das Deuteronomische Modell interpretiert Erfahrungstatsachen dagegen aus dem Exodus-Modell: dem Auszug aus Stabilität in eine stets bessere Zukunft. Modelle, Theorien sind menschliche Hypothesen, Erfindungen, ein ‚Rahmen', in dem man Gegebenheiten einen sinnvollen Platz zu geben sucht. Ihre Bedeutung liegt in ihrer Fähigkeit, so weit wie möglich und so einfach wie möglich die Gegebenheiten aus einem bestimmten Wirklichkeitsbereich verständlich zu lokalisieren.

Das Ganze der Offenbarung wird daher vermittelt durch einen langen Prozeß nicht nur von Ereignissen, Erfahrungen und Interpretationen, sondern von Interpretationen *in* bestimmten, unterschiedlichen Modellen oder Theorien. Die Offenbarung, als das Unaussprechliche, nämlich das, was den Glauben *begründet* und die Gläubigen zum Handeln bringt und ihnen zu denken gibt, *trägt und umfaßt* daher nicht nur die Glaubenserfahrung, sondern auch ihre Interpretation, und diese gerade in unterschiedlichen Modellen oder Theorien. Auch die Christologien des Neuen Testaments sind dafür ein deutlicher Beweis. Sowohl durch das interpretative Moment als auch vielleicht vor allem durch das theoretische Moment (die Folge des Denkens in Modellen) wird das Geoffenbarte, als von Gläubigen in Sprache gebracht, ein durch und durch menschliches Geschehen, das aber weder seinen Inhalt noch den eigenen Glaubensakt sich selbst verdankt. Dies alles sichert die von uns nicht begründete Offenbarung, ist aber zugleich eine Warnung vor jeder fundamentalistischen Auslegung sowohl der Bibel als auch des kirchlichen Dogmas. Das macht uns eine christlich treue Auslegung nicht leichter, denn auch der Ausleger selbst denkt in Modellen. Aber die Einsicht in diese Struktur der Offenbarung und des Glaubensakts entspricht doch besser den realen Gegebenheiten des tatsächlichen Offenbarungsprozesses und hält uns damit auf einem realen Boden.

III.

Heilserfahrung, gemacht an Jesus, und erste christliche Namengebungen

In meinem ersten Buch: ,Jesus, die Geschichte von einem Lebenden' stelle ich faktisch die Frage nach dem Ursprung der ersten christlichen Namen für Jesus, ja sogar nach dem mit einiger Sicherheit historisch feststellbaren vor-neutestamentlichen Benennungen durch die allerersten Christen aus dem Judentum. Das bedeutet keineswegs, daß diese frühesten Namen auch die am besten gewährleisteten oder definitivsten wären. Das leugne ich ausdrücklich: „... auch das allerälteste rekonstruierbare Jesusbild (kann) nicht als Norm oder konstanter Einheitsfaktor dienen" (I, 46), und: „wie wichtig die älteste Tradition auch sein mag..., die erste Artikulation einer Erfahrung von Erkennen und Wiedererkennen ist nicht von vornherein die reichste oder nuancierteste" (a. a. O.). Manche Rezensenten scheinen über diese Sätze hinweggelesen zu haben. Wohl sage ich: diese älteste Tradition(en) bleibt „als maßgebende Mahnung wichtig für den weiteren Entwicklungsprozeß, in dem man immer deutlicher den Reichtum dessen zu artikulieren versucht, was man eigentlich erfahren hat" (I, 46); schließlich: „alte und jüngere Artikulationen einer Erfahrung üben oft Kritik aneinander" (a. a. O.). Das alles bedeutet, daß, wegen der Struktur der interpretativen Erfahrung und ihrer fortschreitenden, erfahrenden Interpretation (siehe oben Kap. II, B), eine Rekonstruktion der ältesten christlichen Benennungen Jesu zwar durchaus *wichtig* ist (aber ohne irgendeinen *Vorrang*), weil die weitere Thematisierung auch einen ‚ideengeschichtlichen' Aspekt zeigt: das heißt, sie wird von der ursprünglichen Erfahrung als schon auf eine bestimmte Weise artikuliert gelenkt. Denn in dieser komplexen Situation besteht die Gefahr, daß eine weitere Thematisierung den Interpretationsaspekt überwiegen lassen kann zum Nachteil des Erfahrungsaspekts, ja daß sogar bloß eine ‚Ideengeschichte' ohne Rückkoppelung auf die Erfahrung entstehen kann. Gerade das meine ich mit „maßgebender

Mahnung"[1], die von den allerältesten Interpretationen Jesu ausgehen kann.

A. STRUKTUR DER NEUTESTAMENTLICHEN BENENNUNG JESU: UNECHTES DILEMMA EINER FUNKTIONALEN CHRISTOLOGIE GEGENÜBER EINER WESENSCHRISTOLOGIE

Schon bei seiner Geburt erhält jeder Mensch einen Namen, der ihm von anderen gegeben wird. Dadurch tritt er als Neugeborener, in einer beginnenden Vollendung, als unverwechselbare Person in das Netz menschlicher Beziehungen ein; er wird in seiner Besonderheit durch die Namengebung anerkannt: von Eltern und von der Familie *angenommen;* er darf sein. So beginnt mit der Annahme durch eine kleinere Gemeinschaft das Hineinwachsen des Neulings in die große Menschengemeinschaft. Auf eine ganz ursprüngliche Weise nimmt dieses neue Wesen mit dem eigenen unersetzbaren Namen den Faden der schon lange begonnenen ,menschlichen Geschichte' persönlich auf und fügt ihr ein neues Kapitel hinzu. Welches seine Geschichte konkret sein wird, kann erst bei seinem Tod erzählt werden, denn vor seinem Tod muß man stets mit der Möglichkeit einer Änderung des Lebenskurses oder zumindest mit neuen Akzenten rechnen.

So erhielt ein bestimmter Jude aus Nazaret bei seiner Geburt den Namen *Jesus* (das heißt ,Rettung'). Was dieser Name genau bedeutete, sollte erst aus dem Leben dieses Menschen bei seinem Tod ganz offenkundig werden können.

Nun fällt auf, daß, um zum Ausdruck zu bringen, was bestimmte Menschen aufgrund ihrer konkreten Taten für viele andere in Wirklichkeit bedeuteten, ihnen von diesen Menschen später oft ein zweiter Name gegeben wird. So wird Abram zu Abraham, Jakob zu Israel,

---

[1] In der deutschen Übersetzung findet sich eine leichte Nuance gegenüber dem ursprünglichen niederländischen Text, in dem die Rede ist von „inperkende vermaning", wörtlich: einer ,einschränkenden Mahnung' (tatsächlich ein etwas ungewöhnlicher Ausdruck); die Übersetzung spricht daher von ,maßgebender Mahnung' (I, 46). Der Ausdruck weist, wenn auch mittels historischer Rekonstruktionen, auf die Priorität der ,gebenden Seite' Jesu vor der gläubigen Antwort der Gläubigen, wie sehr diese beiden Aspekte im Neuen Testament auch ineinander übergehen und nie scharf voneinander getrennt werden können; siehe unten Anm. 2, S. 178.

Saulus zu Paulus, und Simon wird Petrus genannt, Fels, auf den die ur-christliche Gemeinde gebaut wurde. Der zweite Name ist dann ein *Funktions*- oder *Amts*name (siehe I, 436–437). Von dem aus, was dieser Mensch für andere bedeutet, erhält jemand einen solchen zweiten Namen. Im religiösen Bereich erkennt man darin mit Recht Einsetzung oder Berufung durch Gott.

So wird Jesus von Juden, die ihm ‚folgten‘ und für die er zu einer entscheidenden Lebensbedeutung wurde, „Christus“, sogar „der Christus“ genannt: der Gesalbte (Messias), nämlich von Gottes Geist gesalbt (Jes 61,1; siehe 52,7), um sein Volk zu retten: um das Heil, Erlösung und Befreiung zu bringen. „Das gesamte Haus Israel soll also mit Sicherheit erkennen, daß Gott ihn zum Herrn und zum Messias *gemacht hat*, ebendiesen Jesus, den ihr gekreuzigt habt" (Apg 2,36), an anderer Stelle: dank einer ‚Salbung‘ (Apg 4,27, basierend auf Jes 61,1–2; siehe auch 52,7).

„Jesus ist der Christus" ist also schon ein Glaubensbekenntnis; diese Aussage *schließt ein*, daß Menschen, die ihn so nennen, selbst entscheidendes Heil von Gott in und durch diesen Menschen Jesus erfahren haben und noch erfahren. Es handelt sich also nicht um eine bloß beschreibende Aussage, wie wenn jemand sagen würde: „Jesus, der von Christen der Christus genannt wird".

Dieser Prozeß der Anerkennung und Benennung Jesu begann in einer Atmosphäre der Ambiguität, der Fragen und Vermutungen. In der faktischen Struktur der vier Evangelien lassen die Autoren diesen Prozeß noch deutlich nachklingen – auch wenn der Leser (wie auch der Autor) inzwischen das Endergebnis schon kennt. Die expliziten Namengebungen, *von denen aus* die vier Evangelien geschrieben sind, stehen in dem tatsächlichen Prozeß der Namengebung aber nicht am Anfang, sondern eher nach oder gegen Ende des erfahrenden Umgangs mit Jesus – ein oder höchstens zwei Jahre umfassend, nämlich von der Taufe Jesu im Jordan an bis zu seinem Tod. Der wahre *Name* oder die *Identität* Jesu – jüdisch gesehen ist das eine das andere – ist am Anfang also unbekannt, eigentlich wie für alle Menschen: „Was wird aus diesem Kind werden?" ist eine Frage, die, ausgesprochen oder nicht, bei der Geburt eines jeden Kindes zu hören ist. Sogar in den Evangelien, die aus einer identifizierenden Namengebung geschrieben sind, wird der ‚indirekte‘ Weg des Prozesses der Anerkennung benutzt (siehe vor allem II, 809–815: über den Identifikationsprozeß Jesu in den vier

Evangelien). Daraus geht hervor, daß Jesus selbst eher zurückhaltend geblieben ist, was eine unmittelbare Enthüllung seiner Identität betrifft (ausgenommen im Johannesevangelium, das eher die Ohnmacht, Jesus zu verstehen, thematisiert). Gerade deshalb können wir historisch nur wenig Sinnvolles über die eigene *Psyche* Jesu sagen. Andere müssen ihn identifizierend in dem und durch das, was er sagt und tut, erkennen. Dieser *sogenannte indirekte* Weg wird suggestiv im Mattäusevangelium eingeschlagen, in dem der gefangene Johannes der Täufer einige seiner Jünger zu Jesus schickt mit der Frage: „Bist du der Kommende, oder haben wir einen anderen zu erwarten?" (Mt 11,3.) Die Antwort lautet: „Blinde sehen und ... Armen wird die frohe Botschaft verkündet" (Mt 11,5). Jesus antwortet hier, indem er auf seine Worte und Taten hinweist. Wie in Ex 3,14 der Name oder die Identität des Gottes Israels nicht direkt preisgegeben wird, sondern allein durch Hinweis auf das, was dieser Gott mit dem Volk Israel tut – „ich trage Sorge für euch" (Ex 3,16), das heißt „Ich bin: ‚solidarisch mit dem Volk'" –, so sagt Jesus im Bericht des Mattäus: „Ich bin: Bringer der frohen Botschaft für Arme, der alles Unheil hinwegnimmt." Auch Jesus ist: „Ich bin: ‚solidarisch mit meinem Volk'." Diese Funktion *ist* sein Wesen, wie in 1 Joh 4,8 und 16b das Wesen Gottes ‚Menschenliebe' ist. Die *moderne* Unterscheidung zwischen funktionaler und Wesenschristologie liegt völlig außerhalb der neutestamentlichen Kategorien. Das Wesen Jesu selbst *ist* Heil von Gott her.

In dieser ‚indirekten' Namengebung, wie Mt 11,5 sie gebraucht, steckt außerdem noch mehr. Jesus wird durch diese identifizierende Namengebung zugleich als die Erfüllung einer jesajanischen Verheißung erkannt (Jes 29,18–19; 35,4f–6; 61,1–2, die hier implizit zitiert wird). Daraus wird die Struktur der neutestamentlichen Benennung Jesu deutlich: Es geht um ein ausdrückliches Erkennen (und Wiedererkennen) dessen, was man zuvor, zumindest als Verheißung, vage ‚schon wußte'. Es gab bereits ein bestimmtes Erwartungsmuster aus der jüdisch-religiösen Erfahrungstradition. Doch ist die ausdrückliche Identifizierung keineswegs selbstverständlich und glatt, denn unmittelbar darauf folgt: „Glücklich ist, wer an mir keinen Anstoß nimmt" (Mt 11,6). Jesus als den Christus erkennen ist kein objektivierendes Feststellen (es kann daher genausowenig historisch-wissenschaftlich bewiesen werden); dieses Erkennen erfordert zugleich eine fundamentale Metanoia, in der die ganze Person dessen, der Jesus als den Christus erkennt, verwandelt wird: Jesus als den Christus erkennen ist daher zugleich ein neues Selbstverständnis in und durch eine neue Lebenserneuerung; das eine geht nicht ohne das andere, wenn christlicher Glaube keine tote Formel werden soll – was keineswegs bedeutet, daß das eine das andere ist! Diesen Metanoia-Aspekt, der für ein wahres Christusbekenntnis wesentlich und notwendig ist, erkenne ich auch in der definitiven apostolischen Anerkennung Jesu als des Christus, des Sohnes Gottes, die das Neue Testament in der Form von Erscheinungen beschreibt (I, 344–346 in Verbindung mit I, 335–344). Denn Jesus den Christus nennen ist eine Namengebung aus einer konkreten *Erfahrung von Heil,* Erlösung und Befreiung, von Gott her in und durch Jesus.

Die identifizierende Benennung Jesu ist also *eine* Wirklichkeit mit zwei Aspekten: a) mit einem *projektiven* Aspekt oder einem Projektionselement, das heißt Namen, die von Juden, später auch von Christen aus dem Heidentum, aus ihrer eigenen religiös-kulturellen Tradition schon bekannt waren und auf Jesus projiziert werden (die Exegese spricht von Hoheitstiteln wie: Christus, Sohn Gottes usw.; auch Metaphern wie: lebendiges Wasser, himmlisches Brot, guter Hirt usw.); und: b) mit ,einem *schenkenden* Aspekt, einem Element des Angebots vom Jesus der Geschichte. Stimulans, Auslöser der namengebenden Projektionen ist Jesus selbst, das, was er von seinem Leben und Tod her zu sein schien (I, 41–45). In diesem Prozeß der Namengebung „kommt die Priorität dem wirklichen Angebot zu, das Jesus ist" (I, 49). Aber so liegt in diesem Prozeß der Namengebung zugleich ein *kritisches* Element: Die schon bekannten Namen (Christus, Sohn Gottes, usw.) und somit die darin vorgegebenen Heilserwartungen „*bestimmen nicht,* wer Jesus ist, sondern umgekehrt: aus der besonderen, sehr bestimmten Geschichte Jesu werden die gegebenen Heilserwartungen zwar mit aufgenommen, aber zugleich umgeformt, neu geprägt oder korrigiert" (I, 16–17 und I, 43). Man greift also nach vorgegebenen Modellen, aber unter dem Druck dessen, was Jesus wirklich war, sagte und tat, *zerbrechen* alle Modelle: „Nicht *aufgrund* dieses vorgegebenen Modells, sondern aufgrund dessen, was ihnen in Wirklichkeit historisch in Jesus erschienen war, haben sie nach diesem Modell gegriffen" (I, 427), und „sie tun dies in ziemlich *fremden* Begriffen, um *das Eigene* (Jesu) zu artikulieren" (I, 43). Der projektive Charakter der Namengebung wird damit nicht geleugnet, sondern normiert und gebändigt. Jesus ist kein Unbekannter, auf den Menschen willkürlich ihre Nöte und Erwartungen projizieren können! Warum sollten wir Jesus noch brauchen, wenn wir all das uns schon Bekannte bloß auf ihn projizierten? Es ist gerade *das Neue*, das in Jesus erschienen ist, das a) nach dem uns einigermaßen Bekannten greifen läßt, um dieses Neue doch in verhältnismäßig eigener verständlicher Sprache artikulieren zu können, und das b) zugleich die uns schon bekannte Bedeutung dieser Namen zerschlägt: Jesus *ist* der Messias, *aber nicht wie* viele Juden damals, anfangs auch Jünger Jesu, den Messias erwartet hatten. Es steckt ein Stück negativer Theologie in der neutestamentlichen Benennung Jesu. Jesus *ist* ‚der Herr‘, aber nicht wie die Despoten damals ‚Kyrios‘ waren; er ist der Herr, der alle Herr-Knecht-Beziehungen schlecht nennt: „So darf es unter euch (= Nachfolgern Jesu) nicht sein" (Lk 22,24–27; Mk 10,42–43; Mt 20,25–26). Trotz aller jüdischen und ‚heidnischen‘ Namen, mit denen die Christen Jesus identifizieren, bleibt Jesus „den Juden ein Ärgernis, den Heiden eine Torheit" (1 Kor 1,23). Das betont noch einmal, daß die christliche Benennung Jesu *auch kognitiv* eine Lebenserneuerung impliziert: eine *Metanoia* auch der Einsicht, mit anderen Worten: *Glauben!*

Gerade wegen der Spannung in diesen auf Jesus angewandten Namen sind sie bis zu einem gewissen Grad „austauschbar, durch andere zu ersetzen, und sie können aussterben" (1,39). Auch neue können entstehen. Nicht lange nach dem Neuen Testament nennen Kirchenväter Jesus ‚den wahren Orpheus‘, dessen Musik die Herzen der Menschen aufrichtet und heilt. Das muß griechischen Christen besonders aus der Seele gesprochen sein. Wiederholt habe ich bemerkt, daß manche Christen, als ich von ‚Christus Orpheus‘ sprach, für einen Augenblick erschraken – im Sinn von: ‚*Das* geht nicht‘, während sie es selbstverständlich finden, wenn das Johannesevangelium von ‚Jesus Logos‘ spricht. Doch taten die Kirchenväter aus ihrer kulturell-religiösen Umgebung heraus nichts anderes, als was das Johannesevangelium getan hat, als es Jesus ‚das Wort‘ (Logos) nannte! Ganz unbedenklich sind alle diese Namengebungen natürlich nicht!

In der neutestamentlichen Benennung Jesu (zu vergleichen damit, wie in der weiteren Tradition des Christentums Christen Jesus immer wieder ‚neue Namen‘ geben) wird somit ein hermeneutisches Prinzip sichtbar, nämlich: Der Fundort des Namens, den wir – aus einer konkreten Heilserfahrung mit Jesus – diesem Jesus ausdrücklich zuerkennen, liegt *einerseits* in unserer heutigen konkreten Erfahrungswelt, das heißt in unseren heutigen Erfahrungen im Umgang mit Mitmenschen innerhalb einer gegenwärtigen, sich wandelnden und gewandelten Kultur, in der wir leben; *anderseits* aber werden die relevanten Schlüsselwörter, die wir aus unserer heutigen Lebens- und Welterfahrung gewinnen und die wir von dort aus auf Jesus ‚projizieren' (etwa Jesus der Befreier), genauso unter die Kritik dessen gestellt, der Jesus wirklich war. Von einer glatten Korrelation zwischen unseren Erwartungen und dem, wer Jesus in Wirklichkeit gewesen ist, kann nie die Rede sein, weder im Neuen Testament noch für uns. Jede christliche Benennung Jesu von Nazaret muß daher fundamental kritisch sein sowohl gegenüber jeder Reduktion Jesu auf ein historisch konkretes Phänomen als auch gegenüber der kulturellen Tradition und den Erfahrungen, aus denen wir jedoch unseren für ihn passenden Namen schöpfen. So werden wir, in diesem unserem 20. Jahrhundert, aus unseren eigenen, tiefsten menschlichen Erfahrungen Jesus vielleicht eher den Befreier als den Erlöser nennen. Das geschieht auch weithin. Aber aus der historischen Untersuchung des Neuen Testaments wissen wir (was ohne diese Forschung leicht übersehen werden kann), daß die Berufung auf Schlüsselwörter aus unserer eigenen menschlichen Erfahrungstradition uns zwar jeweils den passendsten Jesusnamen geben kann, aber zugleich, daß auch dieser Name radikal transformiert werden muß, wenn er für Jesus selbst gelten soll. Sonst erkennen wir Jesus nur das zu, was wir doch schon wußten, von anderswoher, nämlich aus unserer wachsenden menschlichen Lebenserfahrung. In der christlichen Literatur von heute vermisse ich manchmal diesen kritischen Aspekt bei gegenwärtigen Benennungen Jesu. Auch wenn der Fundort unserer neuen aktuellen Benennung Jesu unsere faktische sogenannte ‚säkulare' Lebens- und Welterfahrung ist, steht diese Namengebung (wenn sie wirklich christlich sein soll) doch unter der Kritik dessen, was Jesus historisch wirklich war (und um zu verstehen, was Jesus wirklich gewesen ist, muß auch die ganze große jüdische Vorgeschichte Jesu und seine Nachgeschichte herangezogen werden). Jesus mag dann aus unserer Erfahrung eher Befreier als Erlöser genannt werden, aber in Anbetracht der Struktur der neutestamentlichen Namen Jesu werden wir dabei mit der Frage konfrontiert, was denn genau wahre Befreiung ist, und deshalb mit der Frage, was zutiefst Grund und Quelle menschlicher Entfremdung und Unfreiheit ist und was somit die Art, die Natur des Heils ist, das Israel erwartete und das Jesus den Menschen anbietet: *das Reich Gottes* als Heil *von und für* Menschen. Dadurch wird das, was *wir als Menschen,* durch Theorie und Praxis, selbst schon erfahren und selbst formulieren können, deutlich unter die transformierende Kritik des Messias Israels, Jesu Christi, gestellt. Das ist einer der Gründe, warum der Paulinismus und frühchristliche Hymnen behaupten, daß Jesus ein Name gegeben ist „über allen Namen" (Phil 2,9; Eph 1,21). Kein einziger Name aus unserer menschlichen Erkenntnis und aus unseren Erfahrungstraditionen ist ganz zutreffend; jeder Name muß mit Qualifizierungen versehen werden, die wir nur im Gesamt des Lebenswerkes Jesu, und zwar innerhalb des alttestamentlichen Verständnishorizontes, finden können. Unsere Projektionsversuche mit Namengebungen – als Menschen können wir nichts anderes! – stehen daher ständig unter der Kritik dessen, wer Jesus wirklich gewesen ist. Gerade deshalb hat, innerhalb ganz bestimmter Grenzen, die *historische* Frage nach Jesus auch eine theologische und religiöse Bedeutung.

B. DIE HISTORISCHE JESUSFORSCHUNG

a) Kein Neo-Liberalismus

Es steckt ein Kern von Wahrheit in der Scheu, die Rudolf Bultmann empfindet, wenn er dem ‚historischen Jesus' (über den auch nach Bultmann rein historisch viel zu erzählen ist) keine dogmatische Bedeutung beimessen will. Die Wahrheit ist: Keine historisch rekonstruierten Daten über Jesus können aufweisen, daß er der Christus ist. Das scheint mir evident, und darüber besteht auch, soviel ich weiß, unter heutigen Theologen ein Konsens. Ich sagte schon: Jesus ‚den Christus' nennen ist nicht das Ergebnis einer wissenschaftlichen Rekonstruktion; diese Aussage schließt ein transformiertes Selbstverständnis als Element der Metanoia und Lebenserneuerung ein. Jesus als dem Christus kann man nicht rein wissenschaftlich und objektivierend näherkommen. Ohne gläubige ‚Rezeption' durch andere wäre Jesus für niemand der Christus. In dieser neutestamentlichen Rezeption und Namengebung ist die Erinnerung an das, was Jesus historisch wirklich gewesen ist, mit aufgenommen in einen *kerygmatischen Bericht* (der etwas anderes ist als eine moderne ‚historische Reportage'). Während die Evangelien aus ihren Erinnerungen an Jesus von Nazaret erzählen, bekennen sie ihn als den Christus, der unter ihnen in der Kirche lebt. Bultmann hat aber unrecht, wenn er jedes *theologische* Interesse an der Frage nach dem historischen Jesus mit dem tatsächlich illegitimen (und unmöglichen) Versuch verbindet, das neutestamentliche, kirchliche Kerygma, daß Jesus der Christus ist, historisch zu beweisen. Wenn aber historisches Wissen über Jesus möglich ist (was auch Bultmann behauptet; und das läßt sich heute kaum noch leugnen), dann besteht jedes gläubige Jesusbild – das heißt jede gläubige Identifizierung Jesu als entscheidendes Heil von Gott her – erst dann zu Recht, wenn eine solche identifizierende Interpretation auf eine konsistente Weise dieses historische Wissen einschließt. Gerade weil der Christ von der Voraussetzung ausgeht, daß dies der Fall ist, daß nämlich der kerygmatische Bericht vom neutestamentlichen Jesus, obwohl von anderen erzählt, doch voller Erinnerungen an die Worte und Taten, an das Leben und den Tod Jesu ist, welche diese Menschen gerade zu ihrer christlichen Namengebung veranlaßt haben, hat die historische Frage nach der genauen Botschaft und Lebenspraxis Jesu auch eine christologische Relevanz. Erst dann müßte man ihre theologische Bedeutung konsequent leugnen, wenn man behauptete (was manche, meines Erachtens zu Unrecht, tatsächlich tun), daß von Jesus in gleicher Weise gilt, was von manchen historischen Persönlichkeiten gilt, nämlich: *Was immer sie historisch auch gewesen sein mögen*, bestimmten historischen Gestalten werden symbolische Dimensionen beigelegt, die repräsentativ sind für konkrete menschliche Lebensmöglichkeiten; *andere* machen sie, vollständig, zu einem repräsentativen Symbol[2]. Mit anderen Worten, von den beiden Elementen, die wir in der christlichen Benennung Jesu erkannt haben, bleibt dann nur das Projektionselement übrig. Aus der (obigen) Analyse der neutestamentlichen Benennung Jesu ging hervor, daß dieses kulturanthropologische Modell, mit anderen Worten diese Projektion, durchaus eine Rolle *spielt*, daß dieses Modell aber wegen der religiösen Intentionalität von Schrift und Tradition unter der kritischen Korrektur dessen steht, was von Gott aus historisch in Jesus wirklich erschienen ist. Es geht nicht nur um ein menschliches Gesche-

---

[2] So u. a. *Ch. Davis*, Religion and the Sense of the Sacred, in: C.T.S.A., Proceedings of the Thirty-First Annual Convention (New York 1976) 87–105, und, wenn auch mit einigen Nuancen, *D. Tracy*, Blessed Rage for Order (New York 1975) 214–223.

hen, bei dem Menschen in Jesus ihr eigenes tiefstes Lebensverständnis geoffenbart sehen – Jesus als Exeget der tiefsten entscheidenden menschlichen Existenzerfahrungen –, sondern, zugleich und darin, um ein Bekenntnis, daß wir uns in Jesus von Gottes eigener Intention mit Jesus angesprochen wissen. Dann bestätigt Gott nicht ein kulturanthropologisches Modell oder einen kulturanthropologischen Prozeß, sondern diesen Menschen Jesus. Und dann ist es doch von Bedeutung, was dieser Mensch historisch wirklich gewesen ist. Es geht bei dieser Rekonstruktion keineswegs um eine historisch-psychologische Rekonstruktion psychischer Zustände in Jesus; darüber läßt sich tatsächlich wenig sagen, und das ist theologisch auch nicht so sehr relevant.

Aber es geht um einen Versuch, die großen Linien der Botschaft und Lebenspraxis Jesu, seines Auftretens und seines Todes, historisch so klar wie möglich in den Blick zu bekommen, weil in ihnen zum Ausdruck gebracht ist, was Jesu Verständnis von Gott, vom Menschen und von der Welt und ihrer wechselseitigen Beziehung gewesen ist; denn es sind doch diese Botschaft und diese Taten, die ganze geschichtliche Erscheinungsweise Jesu, die bestimmte Menschen dazu gebracht haben, in ihm ‚den Christus' – entscheidendes Heil von Gott her – in einem Glaubensakt zu erkennen, der sie selbst auch mit sich selbst versöhnte. Jesus wird nicht trotz dem oder abgesehen von dem, was er historisch wirklich gewesen ist, von Menschen zum ‚Christus' ausgerufen. Eine historische Rekonstruktion ist ja gerade eine Hilfe, *in* der neutestamentlichen Benennung Jesu sowohl die ‚objektive', einladende Seite als auch die subjektive, ‚projektive' Seite schärfer in den Blick zu bekommen, obwohl beide Aspekte nie klar voneinander getrennt werden können. Es gibt keinen nicht-interpretierten ‚Jesus an sich', der durch die Zeilen des Neuen Testaments hindurch zu erkennen wäre. Meinen Ansatz Neoliberalismus zu nennen oder zu behaupten, ich suche doch nach einem vorkerygmatischen Jesus[3], wider-

---

[3] Zwar tut *W. Kasper*, Liberale Christologie, in: Evangelische Kommentare 9 (1976) 357–360, dies nicht ausdrücklich (der Titel stammt offensichtlich nicht von ihm selbst), doch sagt er, daß mein theologischer Versuch das „Grundanliegen der liberalen Theologie, besonders von W. Herrmann, in neuer Weise wieder aufnimmt" (360). Das scheint mir eine Verkennung des besonderen theologischen Wissensinteresses, das meine Jesusforschung, auch nach der Tendenz meines Buches selbst, geleitet hat, ein Interesse, das aus einem ganz anderen Erfahrungs-, Frage- und Verstehenshorizont kommt als das von

spricht der grundsätzlichen Erklärung und der ganzen praktischen Darlegung meiner Jesusbücher. Der nach historischem Verstehen suchende Glaube[4] ist eine innere Folge der Tatsache, daß es im Christentum nicht nur um eine entscheidende Botschaft von Gott her geht, sondern zugleich um die *Person* Jesu Christi, um jemanden, der in unserer Geschichte erschienen ist (und somit auch *in das Ganze* der Geschichte Gottes mit uns gebracht werden muß). Das stellt eine fundamentale Frage an die rein literaturwissenschaftliche Exegese, die allein mit ‚Texten' zu tun haben will, mit einer fast selbstverständlichen modern-wissenschaftlichen Geringschätzung für die Frage nach dem historischen Jesus. Wegen des Spezifischen der christlichen ‚Gegebenheit' – des Juden Jesus Christus – ist eine solche exegetische Haltung, wenn sie als endgültig gemeint ist, religiös unhaltbar.

Es hat außerdem verschiedene konkrete Anlässe gegeben, der Frage nach dem historischen Jesus in meinem ersten Jesusbuch einen bedeutenden Platz einzuräumen. Nur einen von ihnen will ich hier nennen. Ein Jahr vor dem Erscheinen des Buches ‚Jesus, die Geschichte von einem Lebenden' erschien das Jesusbuch von Rudolf Augstein ‚Jesus Menschensohn'[5]. Zeitungen, Wochenblätter und Magazine haben damals ausführlich darüber berichtet. Manche Leute gewannen den Eindruck, die Kirche habe ihnen Fabeln und Legenden erzählt und die ‚historische Wissenschaft' habe nun deutlich gemacht, daß der Jesus der Geschichte nicht die ganze Konstruktion und den ganzen Überbau tragen könne, den die Kirche anläßlich des historischen Phänomens Jesus errichtet habe. Jemand fragte mich damals in allem Ernst, wie ich nach der Lektüre Augsteins noch Christ bleiben könne. Theologen können Augsteins Buch zwar ignorieren, aber dann übersehen sie den Einfluß dieser und ähnlicher Literatur auf viele Christen und tun so,

---

W. Hermann! Nach der Ansicht Kaspers soll ich, trotz feierlichen Grundsatzerklärungen und trotz der tatsächlichen Tendenz meines Buches, doch „nach einem vorkerygmatischen und vordogmatischen Jesus" als Kriterium aller Christologie suchen (a.a.O. 359). Er fügt noch hinzu: Und dann werden die vor-neutestamentlichen Schichten, vor allem Q, weil dieses kein Osterkerygma besitzt, *theologisch normativ* (wobei er vergißt, daß Q nur aus einem Parusie*kerygma* zu verstehen ist, I, 363). Das ist eine völlige Verkennung der Motive, warum ich ausgerechnet Q *untersuche*, ohne dieser Tradition irgendeinen theologischen Vorrang zu geben (siehe darüber unten mehr).
[4] So in einem Artikel von mir, der eine Erwiderung auf die Besprechung meines ersten Jesusbuches durch *H. Berkhof* ist: Fides quaerens intellectum historicum, in: Nederlands Theologisch Tijdschrift 29 (1975) 332–349.
[5] Gütersloh 1972.

als lebe der konkrete Glaube in einem kirchlichen ‚hortus conclusus‘ und teile nicht voll und ganz das Wohl und Wehe der ‚Welt‘. Ohne polemisch auf Bücher wie das von Augstein einzugehen, habe ich Christen deutlich machen wollen, daß der theologische Gebrauch der historischen Wissenschaften den Glauben keineswegs auszuhöhlen braucht, sondern daß er im Gegenteil in einer besonderen Weise helfen, aber auch kritisch begleiten kann.

Dogmengeschichte, die viel zum gläubigen Verständnis eines Dogmas beiträgt, beginnt nicht erst *nach* dem Neuen Testament, sondern hat schon vor und in dem Neuen Testament ihren Anfang genommen. Eine klassisch angelegte Christologie, die nicht auf all diese Probleme eingeht, wird dabei unvermeidlich Kurzschlüsse bei den Gläubigen auslösen. In einer christlichen, unkonventionellen Weise muß man das entstandene Problem anpacken und auf die kritischen Fragen eingehen, wie sie sich nun einmal zumindest im westlichen Problembewußtsein stellen. Wirkliche Theologie treiben hat ja nur Sinn innerhalb des historisch bestimmten, wirklichen Problembewußtseins, das nicht immer und überall das gleiche ist. Niemand wird etwa behaupten, daß für asiatische oder afrikanische Kulturen das historische Bewußtsein die gleiche Bedeutung hat wie für den modernen Westen. Außerdem, wenn einmal ein allgemeiner Konsens darüber gewonnen ist, daß das Neue Testament in seiner Glaubensinterpretation Jesu mit Sicherheit von einem ganz konkreten historischen Menschen ausgeht, dessen Tun und Lassen in großen Zügen historisch feststeht, wird auch im Westen zumindest die *Problematisierung* der Frage nach dem historischen Jesus aus der Theologie verschwinden. Das alles verleiht theologisch-relevantem Denken unausweichlich einen sehr eigenen, aber dann auch relativen Zeitindex: es ist historisch, sogar geographisch bestimmt. Aber eine Theologie, die für die Ewigkeit geschrieben wird, das heißt eine von jeder Geschichtlichkeit freie Theologie, würde für in der Zeit lebende Menschen irrelevant. *Andere* diktieren dem Theologen oft, was er hier und jetzt zu tun hat. Sein eigenes ‚theologisches Projekt‘ muß der Theologe, wenn er lebensrelevant bleiben will, immer von neuem auf reale Fragen einstellen, die in den Menschen lebendig sind. Geschähe das nicht, würden ‚theologische Bücher‘ nicht einmal gelesen werden, während doch offensichtlich die Bücher der Autoren, die dies tun, von vielen gelesen werden.

Daher habe ich mich entschlossen, vor allem in meinem ersten Jesusbuch, der strengen, sogar radikalen historisch-kritischen Methode zu folgen, um auf diese Weise herauszufinden, was mit wissenschaftlicher Sicherheit oder großer Wahrscheinlichkeit über die historische Erscheinung Jesu feststeht. Dabei hegte ich die Hoffnung, daß es dann möglich würde, einen Funken von dem aufzufangen, was in Jesus Grund zu der (positiven und negativen) *Erschütterung* für seine Zeitgenossen gewesen sein muß. Diesen Schock muß es gegeben haben in Anbetracht der Tatsache, daß einerseits Jesus hingerichtet wurde und anderseits seine Jünger bei seinem Tod anfangs völlig verstört waren und alle Hoffnung für Israel verflogen wähnten. Natürlich habe ich nicht den christlichen Glauben durch eine historische Untersuchung beweisen wollen – das wäre ein ziemlich absurdes Unterfangen. Meine Absicht war vielmehr folgende: „Ich will nach *möglichen Zeichen* im historisch-kritisch konstruierten Jesus-Bild suchen, nach Zeichen, welche die menschliche Frage nach Heil auf das christliche Angebot einer Antwort *ausrichten* können, die auf ein besonderes Heilshandeln Gottes in diesem Jesus hinweist" (I, 28; I, 91; I, 229). Das Neoliberalismus oder, schlimmer noch, häretisch zu nennen, heißt nicht einen Autor ernst nehmen, sondern nur Geistesströmungen oder eine vage ,Ideengeschichte', wobei die Besonderheit eines Autors überhaupt nicht zählt. Mein Entwurf ist tatsächlich ein anderer Ansatz als der der traditionellen und klassischen Christologie. Aber: Kanon der Schrift und kirchliche Tradition bleiben darin auch für mich genauso in Kraft, weil diese historische Jesusforschung *ausgerichtet ist* „auf das christliche Angebot einer Antwort", wie ich soeben zitiert habe; also nicht die historische Forschung selbst kann diese Antwort geben[6]. Gerade weil wir von der Schrift aus mittels der ganzen kirchlichen Tradition heute noch immer *auf das Wort* des apostolischen Zeugnisses hin glau-

---

[6] Siehe I, 45–54 und vor allem II, 58–63. Kanon und Tradition waren mein Leitfaden, nämlich *als das, auf das hin* ich meine Leser *orientieren will*, und zudem stufenweise. Das verkannt zu haben erklärt die unbegründete Kritik von *W. Löser* in: Theologie und Philosophie 51 (1976) 257–266, ganz zu schweigen von der vom wissenschaftlichen Standpunkt aus unbegreiflichen Interpretation meines ersten Jesusbuches durch *L. Scheffczyk*, Jesus für Philanthropen, in: Theologisches 77 (1976) 2080–2086; 78 (1976) 2097–2105 und 79 (1976) 2129–2132, übernommen aus: Entscheidung 69 (1976, II 3ff.), ins Italienische übersetzt unter dem Titel: L'ultimo libro eretico di Schillebeeckx, in: Chiesa Viva 6 (1976) 14–17; 7 (1976) 14–160 und 8 (1976) 19–21; zwar wird auch dieser Titel nicht vom Autor selbst stammen, aber er gibt doch vollkommen die Tendenz des Beitrags selbst wieder.

ben, hat eine Untersuchung der historischen Entstehung dieses neutestamentlichen Glaubens durchaus eine besondere Glaubensrelevanz. Denn Schrift und Dogma können sich gegenseitig erhellen, während wir anderseits die Entstehung dieser Schrift nicht aus dem späteren Dogma interpretieren dürfen. Ich will mit historischer Forschung ‚Dogmengeschichte‘ treiben; anders gesagt: mit meinen Lesern gleichsam dem ‚itinerarium mentis‘ der ersten Jünger folgen, die mit einem Religionsgenossen in Kontakt gekommen, ihm gefolgt sind und ihn nach seinem Tod als Christus und Sohn Gottes bekannt haben. Wenn Christen bekennen, daß in der Lebensgeschichte Jesu von Nazaret Gott selbst entscheidend und definitiv Heil zur Befreiung von Menschen vollzieht, dann darf (schon aufgrund ihres eigenen Bekenntnisses) die historische Lebensgeschichte dieses Menschen nicht im Nebel verschwinden. Dann muß gerade das prophetische Auftreten Jesu herausgearbeitet werden, weil sonst alles, was über seinen Tod und seine Auferstehung erzählt wird, zu einer *abstrakten Formalisierung* wird. Gerade aus *theologischen* und *pastoralen* Motiven bin ich daher an der historisch-faßbaren irdischen Erscheinung Jesu von Nazaret interessiert, wenn sich diese auch nur in einer Reflexion, das heißt in der Widerspiegelung derselben in der ersten Glaubensgemeinschaft, sichtbar machen läßt (I, 38).

Oft wird außerdem der Begriff ‚der Jesus der Geschichte‘ in einen unechten Gegensatz zum ‚Jesus des Glaubens‘ gebracht. In anderen Fällen gibt es einen ähnlichen Gegensatz nicht. So wird beispielsweise kein Jünger Freuds oder Jungs – der einen bestimmten Interpretationsrahmen oder eine hypothetische Theorie anwendet, genausogut wie der Christusgläubige, der Gottes Handeln in der Geschichte zum Interpretationsrahmen nimmt – jemals einen Unterschied machen etwa zwischen dem ‚historischen Luther‘ und dem ‚Luther der Freudschen oder Jungschen Interpretation‘: für ihn ist der historische Luther dieser freudianisch interpretierte Luther. So *ist* für den Christen der Jesus der Geschichte eben der Jesus des Glaubens. Die Glaubensaussage ‚Jesus ist der Christus‘ impliziert den Anspruch, daß der Jesus des Glaubens das adäquateste Jesusbild ist. Man kann das christliche Bekenntnis keineswegs historisch-kritisch begründen, aber eine historisch-kritische Forschung aus einem gläubigen Wissensinteresse hat doch etwas Sinnvolles über dieses Bekenntnis zu sagen, nicht als Offenbarung Gottes, sondern als bestimmte Interpretation Jesu von

Nazaret. Gerade darin liegt die theologische Bedeutung einer historischen Jesusforschung aus einem gläubigen Wissensinteresse.

Nach A. C. Danto[7] und seinem Interpreten H. M. Baumgartner[8] ist Geschichte „eine narrative Ordnung (oder Konstruktion) vergangener Ereignisse aus fundamentalem Interesse"[9]; das historische Erzählen *beschreibt* und *erklärt* zugleich. So wird Geschichte durch Erzählen konstruiert. Im kerygmatischen Bericht des Alten und Neuen Testaments wird das auch deutlich. Jede historische Rekonstruktion ist auf eine ‚Perspektive' und ein Interesse gegründet. Die gläubige Perspektive ist eine unter vielen Möglichkeiten. Ich sehe nicht ein, warum die gläubige Perspektive ‚weniger objektiv' oder ‚subjektiver' sein soll als eine historische Rekonstruktion aus anderen, etwa ‚profanen' Perspektiven und Interessen. Doch muß die gläubige Jesusinterpretation (Jesus ist der Christus) eine *plausible* Interpretation sein, gesehen vor dem Hintergrund einer historisch-wissenschaftlichen Rekonstruktion der Botschaft und Praxis Jesu, seines Lebens und seines Todes. In diese Perspektive ist die wissenschaftlich-historische Jesusforschung in ‚Jesus, die Geschichte von einem Lebenden' eingefügt und damit in ein gläubiges Wissensinteresse.

Ich sage ausdrücklich: „Die Tradition der kirchlichen Jesus-*Geschichte* ist dabei Voraussetzung für die historisch-*argumentative* Frage nach Jesus" (in einem Rückblick in II auf I, nämlich II, 17). Damit ist jedoch die bescheidene, aber besondere Bedeutung einer historisch-kritischen Rekonstruktion nicht geleugnet. Sie wird sogar von dem Augenblick an bedeutsamer, da man behauptet, daß das Christentum keine „Religion eines Buches" ist, sondern seinem Wesen nach ein religiöser Hinweis auf ein *historisches Geschehen*, eine historische Persönlichkeit: Jesus von Nazaret; und von dem Augenblick an, da durch verschiedene Literatur der historische Hintergrund des Neuen Testaments für viele problematisch geworden ist. In einer solchen Problemsituation ruhig fortfahren, wie man früher (und damals zu Recht)

---

[7] *A. C. Danto*, Analytical Philosophy of History (Cambridge 1965) (dt.: Analytische Philosophie der Geschichte [Frankfurt a. M. 1974]).

[8] *H. Baumgartner*, Kontinuität und Geschichte. Zur Kritik und Metakritik der historischen Vernunft (Frankfurt a. M. 1972). Zu diesem lehrreichen Buch werden einige wichtige Nuancen gebracht von *D. Mieth*, Moral und Erfahrung. Beiträge zur theologisch-ethischen Hermeneutik (Fribourg 1977) vor allem 67–72 und 97–100.

[9] *H. Baumgartner*, a. a. O., siehe 249–294, vor allem 282.

Christologie betrieb, heißt von vornherein den Kontakt mit heutigen Lesern verlieren und außerdem jede glaubwürdige Christologie verfehlen.

Damit ist aber keineswegs gesagt, daß das *historisch rekonstruierte Bild* Jesu Norm und Kriterium des christlichen Glaubens wird. Das wäre schlechthin eine Absurdität, denn die ersten Christen waren nie mit diesem ‚historischen Abstractum‘, das ein historisch-wissenschaftliches Jesusbild ja doch ist, konfrontiert worden (I, 28–29). In diesem Sinn besteht ein Unterschied zwischen dem ‚Jesus der Geschichte‘, das heißt Jesus selbst, wie er in Palästina in Kontakt mit seinen Zeitgenossen gelebt hat, und dem ‚historischen Jesus‘, als dem abstrakten Ergebnis einer historisch-kritischen Forschung. Im historisch-argumentativen Vorgehen vollzieht sich ein qualitativer Umschlag gegenüber dem spontanen, lebendigen Bericht über Jesus durch die Jahrhunderte hindurch (I, 28–29). Nicht das historische Jesusbild, sondern der lebendige Jesus der Geschichte steht am Anfang und ist Quelle, Norm und Kriterium dessen, was die ersten Christen in ihm *interpretierend erfuhren.* Aber gerade im Blick auf diese Struktur des urchristlichen Glaubens kann eine historisch-kritische Forschung uns verdeutlichen, wie der konkrete Inhalt des urchristlichen Glaubens durch den Jesus der Geschichte ‚gefüllt‘ war. So kann eine historische Rekonstruktion eine Handreichung dazu sein, mit den ersten Jüngern Jesu ihrem ‚itinerarium mentis‘ zu folgen von der Taufe Jesu im Jordan bis über seinen Tod hinaus. Dann können auch heutige Leser im Verlauf dieses Berichts zu der Entdeckung kommen: „Brannte nicht unser Herz in uns, während er unterwegs mit uns redete?" (Lk 24, 32). Es geht daher um eine ‚fides quaerens intellectum historicum‘ und, zugleich, um einen ‚intellectus historicus quaerens fidem‘. Dies alles liberale Theologie des 19. Jahrhunderts oder eine Christologie für Philanthropen zu nennen heißt sehend blind sein.

In diesem Zusammenhang konnte ich jedoch schreiben: „Glaubend, aber mich identifizierend mit den Zweifeln über den ‚kirchlichen Christus‘, die ich um mich herum – in Holland und überall anderswo, wohin ich kam – scharf ausgesprochen sah, manchmal aggressiv, dann wieder voller Trauer, bei anderen aufgrund eines existentiellen Nichtmehr-Könnens-wie-früher, habe ich ‚meta-dogmatisch‘, das heißt methodisch vom Dogma absehend *(wenn auch im Bewußtsein, daß dieses faktische Dogma mich zum Suchen antrieb)*, Spuren suchen und ihnen folgen wollen, ohne vorher zu wissen, wohin mich dies bringen würde – ohne gar zu wissen, ob dieser Ansatz letztlich nicht mißlingen müsse" (I,28). Manche Kritiker sind offensichtlich nur fasziniert von dem Begriff ‚metadogmatisch' und vergessen im übrigen den ganzen Kontext, in dem dies in meinem ganzen ersten Jesusbuch steht. Wie kann man ‚Dogmatik' treiben ohne ‚Dogma'? So gesagt, ist das tatsächlich ein innerer Widerspruch! Aber selbst ein Nichtgläubiger kann uns eine sehr gute dogmengeschichtliche Studie liefern. Außerdem kann man mit Recht sofort beginnen, das Dogma selbst zu thematisieren; ich selbst will dagegen in dieser ‚unkonventionellen Christologie' (I,3) erst damit aufhören (in einem späteren dritten Teil). Ich beginne mit einer vorneutestamentlichen und neutestamentlichen *Dogmengeschichte* und nehme dazu die historische *Jesusforschung* zu Hilfe. Ein Exeget wie A. Descamps sieht in diesem genetischen Verfahren eine bessere Methode als die vieler Exegeten (wie F. Hahn, V. Taylor, O. Cullmann usw.), die er für zu systematisch hält, vor allem konzentriert auf die christologischen Hoheitstitel[10].

Zwei Grundauffassungen standen mir bei diesem genetischen Vorgehen außerdem vor Augen: *Einerseits*, daß es zwingend notwendig ist, ein Jesusbild, zumindest für heutige westliche Menschen, zu suchen, das jeder historischen Kritik standhält; und dann darf man sich bei Zweifeln nicht auf das Prinzip berufen: ‚in dubio pro tradito', weil dadurch der Ernst der unbefangenen Forschung von Anfang an neutralisiert wird; das schließt auch ein, daß man manchmal, vielleicht vorläufig, konkrete exegetische Probleme ungelöst lassen und somit wird offenhalten müssen. *Anderseits* stand mir vor Augen, daß sich jeder Mensch in seiner unreduzierbaren Eigenheit wissenschaftlicher Forschung entzieht. Gegenüber der Summe aller kritischen Ergebnisse bleibt immer ein Überschuß an Sinn: „Ein Mitmensch ist letztlich nur in einer ‚disclosure'-Erfahrung zu erkennen und wiederzuerkennen, in einer Erfahrung, die sich dem einen verschließt, dem anderen erschließt, und zwar aus erprobten, realen Gründen" (I,76). Auf einen Menschen vertrauen, wofür man doch gute Gründe anführen kann (auch darin liegt die Bedeutung einer historischen Jesusforschung), läßt sich aber nie völlig rationalisieren, aber es kann, vor allem in der

---

[10] *A. L. Descamps*, Compte Rendu, in: Revue Théologique de Louvain 6 (1975) (212–223) 216–217.

Gegenwart, ebensowenig durch einen Befehl auferlegt werden. Irgendwie muß – mit dem ‚Suchprojekt' der kirchlichen Verkündigung als ‚Wünschelrute' – mit heutigen menschlichen Erfahrungen eine *christliche* Erfahrung gemacht werden, wenn man rückhaltlos an Jesus glauben können will (siehe oben, Kap. I). Gerade eine dogmenge- schichtliche Untersuchung über die *Entstehung* dieses kirchlichen Glaubensbekenntnisses kann heute dieses allen angebotene ‚Suchpro- jekt' zu einem sinnvollen, von ihnen gern akzeptierten Suchprojekt für mögliche Erfahrungen machen. Manche werden das als ‚Apologetik' bezeichnen. Ich bin zwar der Meinung, daß wir vor Apologetik keines- wegs zurückzuschrecken brauchen, aber ich selbst sehe diesen ‚Um- weg' (ist es wirklich ein Umweg?) als einen pastoralen Auftrag der heutigen *dogmatischen* Theologie', die Menschen und nicht nur aka- demische Insider erreichen will. Gerade das ‚Erfahrungsdefizit' in der Theologie habe ich in meinen beiden Jesusbüchern zu überwinden ge- sucht; allerdings nenne ich dies nur erst einen Anfang (‚Prolegomena').

b) Keine Vorliebe für die Q-Tradition und keine Vernachlässigung des Johanneismus und der kirchlichen Tradition

Aus all dem Vorausgegangenen ist das schon deutlich. Doch muß ich etwas näher auf die in diesem Zusammenhang von einigen Theologen vorgebrachte Kritik eingehen.

1. Vorab will ich eine Erklärung zu einer allgemeinen Kritik einiger Exegeten geben. Mir wurde im Gespräch von einem Exegeten einmal gesagt (und einige Rezensionen zielen, allerdings milder, in die gleiche Richtung): Du hättest mit einem solchen theologischen Projekt warten müssen, bis die Exegeten zu einem allgemeineren Konsens gekommen sind. Darauf kann ich nur antworten, daß unter dieser Voraussetzung die systematische Theologie in den Ruhestand versetzt wäre bis zum Ende der Zeiten oder eingeschränkt auf eine theologische Reflexion über die nachbiblische, kirchliche Tradition. Letzteres ist zweifellos ebenfalls ein wesentlicher Auftrag der Theologie, aber die Bibel dem Forschungsbereich des Theologen so lange entziehen, bis die Exegeten sich einig sind, scheint mir doch eine seltsame Auffassung von Theolo- gie nahezulegen und verfestigt nur den verhängnisvollen Bruch zwi- schen Exegese und Dogmatik. Außerdem scheint mir die Annahme, es komme jemals eine Zeit, da das exegetische, literarische Arsenal er-

schöpft und die exegetische Arbeit ein für allemal abgeschlossen ist, eine hermeneutische und literaturwissenschaftliche Verkennung der Möglichkeit einer nicht abgeschlossenen ‚relecture' einmal geschriebener Texte zu sein. Die Folge davon ist, daß auch jede systematische Theologie als Thematisierung vorläufig bleibt, prinzipiell genauso unvollendbar wie die Auslegung von Texten, deren Geschichte immer wieder ‚neu' weitererzählt wird als *Transformation* derselben alten Geschichte. Dies alles hindert nicht daran, daß man zu jeder Zeit, aus einer begrenzten Situation heraus, sagen kann, darf und sogar muß, was man in Wirklichkeit zu sagen hat, sei es auch aufgrund von Material, das zum Teil (noch) hypothetischer Art ist. Transhistorische, zeitlose Theologie ist nun einmal nicht möglich. Die patristische Theologie mit ihrer oft genialen *allegorischen* Exegese, die aber allem Hohn spricht, was jeder Exeget heute als heilige Pflicht ansieht, hat zu ihrer Zeit den christlichen Glauben doch in einer fruchtbaren Weise vermittelt. Das weist zweifellos hin auf die Relativität und historische Bedingtheit der authentischen Vermittlung des christlichen Glaubens im Lauf der Zeiten (siehe I, 33); es entbindet uns nicht von dem Auftrag, heute *auch* ein Element der Vermittlung zu sein.

2. Daß man bei dem Versuch einer aktuellen Benennung Jesu – „für wen haltet *ihr* mich?" – vom Neuen Testament aus nicht unmittelbar in die Gegenwart springen kann unter Vernachlässigung der ganzen dazwischenliegenden kirchlichen Tradition, habe ich selbst als hermeneutisch selbstverständlich bezeichnet (I, 29 und 32–33). Auch habe ich gesagt, daß der Ausgangspunkt aller Christologie zwar die Erscheinung des Menschen Jesus in unserer Geschichte ist, aber nicht ohne seine Vorgeschichte (das ‚Alte Testament') und nicht ohne seine Nachgeschichte (nämlich das ganze Leben der Kirche) (I, 37–38). Damit wurde grundsätzlich die notwendige Vermittlung der kirchlichen christlichen Tradition (Schrift und Überlieferung) deutlich bejaht. Daß ich also die Bedeutung von Kanon und Tradition für die christliche Theologie leugnen würde, wie W. Löser behauptet[11], findet in keinem meiner beiden Jesusbücher auch nur irgendeine Stütze. Man scheint zu vergessen, daß auch in der Theologie verschiedene ‚literarische Gattungen' möglich sind, und beurteilt andere dann nach der eigenen literarischen Gattung – einer ‚Theologie von oben'. Warum sollte eine

---

[11] Siehe *W. Löser*, a.a.O. (Anm. 6), 263.

‚Theologie von unten' die Negation der theologischen Bedeutung von Kanon und Tradition einschließen müssen?

Es fragt sich aber, ob in die Endredaktion eines Buches alles Material der vorausgegangenen Forschung unbedingt aufgenommen werden muß. Ich selbst habe ausdrücklich gesagt, daß mich (aufgrund von Vorlesungen, die sich schon früher mit diesem Thema beschäftigten) die patristischen, konziliaren, karolingischen, nominalistischen und nachtridentinischen Christologien (I, 29) beim Schreiben meines ersten Jesusbuchs mit geleitet haben.

Der Vorwurf eines Rezensenten, eine heutige Christologie, die ausschließlich vom Neuen Testament her unter Vernachlässigung der großen kirchlichen Tradition geschrieben sei, führe unvermeidlich zu Kurzschlüssen[12], mag dann wahr sein, aber dieser Vorwurf trifft nicht meine beiden Jesusbücher. Ein lutherischer Theologe hat dies besser begriffen als mein katholischer Kollege, wenn er in seiner Rezension schrieb: „Der Dogmatiker ist stets präsent, und nur so überblickt und ordnet er den gewaltigen Stoff."[13] Hätte ich übrigens das gesamte Material in meine beiden Bücher aufgenommen, dann wäre (ganz abgesehen von dem Monströsen eines solchen Bandes) deutlich geworden, daß wir es in der Geschichte der christlichen Tradition immer wieder mit den vier Strukturprinzipien zu tun haben (II, 611–623), die ich, gerade dank der in meinen beiden Jesusbüchern angewandten Methode, aus dem Neuen Testament habe destillieren können – manchmal mit Akzentunterschieden. Die angewandte Methode ist daher auch ein Dienst an der *fortschreitenden* kirchlichen Tradition, den eine ‚wiederholende' Theologie oft aus dem Auge verliert. Aus dem ausdrücklichen Einfügen des Materials der Forschungen über die kirchliche Tradition, das übrigens schon zum größten Teil in der Literatur vorhanden ist, würde auch deutlich hervorgehen, daß es tatsächlich Höhe- und Tiefpunkte in der Geschichte der christlichen Spiritualität gibt, je nachdem manchmal bestimmte dieser vier neutestamentlichen Strukturprinzipien völlig in den Hintergrund geraten, und daß trotzdem Kontinuität in der großen christlichen Tradition sichtbar wird trotz oder gerade *in* der nichtsdestoweniger fortschreitenden christlichen Erfahrungstradition. Es würde auch erkennbar, daß die

---

[12] *W. Löser*, a. a. O. 263–264.
[13] *W. Dantine*, in: Lutherische Monatshefte 15 (1976) 212.

neutestamentliche Struktur der Benennung Jesu, mit ihrer inneren *Spannung* zwischen dem Projektionselement (Jesus Christus; Jesus Logos; Jesus Orpheus; Jesus, Licht vom Licht; Jesus, wahrer Mensch und wahrer Gott; Jesus, heiligstes Herz; Christus König usw.) und dem, was sich darin aus dem, was Jesus historisch selbst gewesen ist, ‚aufdrängt‘ und sich darin ‚festsetzt‘, immer wieder von neuem in der authentisch-christlichen Tradition zu finden ist, während diese Spannung oder kritische Korrektur in dem, was häretische Strömungen im Christentum genannt werden, fehlt oder häufig für Zeitgenossen ungenügend deutlich gemacht wurde.

Es würde sich auch zeigen, daß Benennungen Jesu aus heutigen, aber nicht kritisch reflektierten Erfahrungen (etwa aus einer bestimmten Christ-König-Spiritualität des 20. Jahrhunderts) nach kurzer Zeit liturgisch absterben und im Nebel verschwinden.

Man kann nüchtern einwenden, dies alles sei in Wirklichkeit nicht erkennbar geworden, weil dieses Material weggefallen ist. Selbstverständlich. Aber das war auch nicht meine Absicht bei diesen beiden Jesusbüchern. Daraus wird jedoch deutlich, daß es ihre Absicht war, heutige in Krisis befindliche Gläubige allmählich und gleichsam in Phasen zu dem Glauben der *großen* christlichen Tradition zu führen, wie er aus Altem und Neuem Testament entstanden ist. Gerade die Forschung über die Entstehungsgeschichte des christlichen Glaubens – der Punkt, über den Christen durch nichtkirchliche Literatur am tiefsten beunruhigt werden – schien dazu der beste Ansatz zu sein. Aus verschiedenen Symptomen (vor allem Briefen) von theologisch nicht geschulten Laien, die nicht durch klassisch-theologische Schriften und durch die Entwicklung der Theologie seit dem 19. Jahrhundert beunruhigt werden, scheint gerade diese Methode ‚angesprochen‘ zu haben zum Nutzen eines neu entdeckten und unverkürzten christlichen Glaubens. Beunruhigung entstand erst dann, als einige Geistliche, die nur die ‚klassische Gattung‘ kennen und wollen, links und rechts das Wort ‚häretisch‘ fallen ließen. Die Beschränkung in diesen beiden Büchern auf den Pluralismus, der schon im Neuen Testament zu finden ist, ist Christen zu wenig vertraut. Die Einsicht in sie ist *christlich* befreiend, weil sie die Vorstellung aufhebt, die viele heutige Christen belastet, als wäre alles ‚einfach aus dem Himmel gefallen‘. Deutlich machen, daß gerade das ‚von oben‘ sich in seinem sehr menschlichen Erfahrungs- und Interpretationsprozeß manifestiert, scheint mir eine bessere Einführung in die gläubige Bejahung, daß dies alles unter der Leitung des Geistes Gottes steht, als jede ‚Denzinger-Theologie'. Die Situation von Religion, Christentum und Welt verlangt außerdem nicht so sehr danach, was man quantitativ ‚alles als Christ glauben muß', als nach qualitativer Konzentration auf das, was Gott in und durch Jesus Christus mit uns eigentlich vorhat. Es gibt, sagt das Zweite Vatikanum im Dekret über den Ökumenismus, schließlich auch eine „hierarchia veritatum" und deshalb eine Kernbotschaft. Menschen, sogar Gläubige, die sich in einer Krise befinden, dazu zu bringen, zu dieser Kernbotschaft ‚ja' zu sagen, ist mehr, als ein Theologe sich wünschen kann. Aus vielen Dankbriefen weiß ich, daß dies der Fall ist.

Dieser kurze *Einschub* darf uns aber nicht von der realen Frage ablenken, ob pastorale Absichten nicht doch, wenn auch ungewollt, dazu geführt haben, den authentischen christlichen Glauben falsch darzustellen. Daher kann ich hier nicht schließen, sondern ich muß die Verstehensprinzipien meiner beiden Jesusbücher weiterentwickeln und in erster Linie Einwände und Kritik von Kollegen an meinem Gebrauch der Exegese näher untersuchen.

3. Ein öfter wiederkehrender Vorwurf betrifft meine sogenannte Vorliebe für die Q-Tradition. Meine erste Antwort darauf ist ganz schlicht: Das ist eine optische Täuschung. Von ‚Vorliebe' kann gar keine Rede sein. Aber wer auf der Suche nach den erreichbar ältesten christlichen Jesusbildern ist, muß konsequent jene Methoden anwenden, die ihn zu diesem Ziel führen können. Und dann kommen das Markusevangelium und die Tradition, die von Mattäus und Lukas gemeinsam benutzt wird: die sogenannte Q-Tradition, neben einer eigenen Mattäus- und Lukastradition, und einige Traditionen im Johannesevangelium sowie alte christologische Hymnen und das Credo-Zitat des Paulus (1 Kor 15,3–5) als erste in Betracht (sie sind denn auch in meinem ersten Jesusbuch ausführlich analysiert worden). Die Rolle, welche die Q-Tradition, zumindest in meinem ersten Jesusbuch, spielt, während sie im zweiten Buch gleichsam völlig verschwindet, ist daher in beiden Fällen die konsequente Folge dessen, was in diesem ersten Buch gesucht wird, und dessen, was das zweite Buch anstrebt. Man beurteilt einen Autor auf der Ebene, auf der ein Buch oder eine bestimmte Sequenz dieses Buches steht: historisch für eine historische Sequenz, theologisch für eine theologische Sequenz. Mit persönlicher Vorliebe hat dies nichts zu tun. Doch kann gerade eine historische

Untersuchung dann auf ein Resultat stoßen, das theologisch oder dogmengeschichtlich relevant wird. Meines Erachtens ist dies gerade mit der Q-Tradition der Fall; und als beginnende Tradition mit einem ganz eigenen Gesicht (wie auch die johanneische Tradition) gewinnt sie daher in meinem ersten Jesusbuch mein volles theologisches Interesse.

Gerade weil ich danach suche, wie Jesus konkret aufgetreten ist, spreche ich auch oft von ‚kirchlicher Übermalung‘, ein Begriff, der von manchen Kritikern dann zu Unrecht sofort als ‚somit nicht-historisch‘ oder ‚somit nicht wahr‘ interpretiert wird. Diese Schlußfolgerungen sind in jedem Fall nicht die meinen. Übermalung ist letztlich das gleiche wie Neuaktualisierung; so wird etwa ein Wort, das Jesus in einer bestimmten Situation gesprochen hat, später im Neuen Testament als Jesuswort in einer anderen, nämlich kirchlichen Situation gebraucht, in der dieses Wort gerade seine Fruchtbarkeit beweist. So macht es letztlich jeder gute Prediger, wenn er zu heutigen Hörern von Jesus spricht. Nur innerhalb dieser Sequenzen meines (vor allem ersten) Jesusbuches, in denen nach der besonderen, nach Möglichkeit in Erfahrung zu bringenden Situation gesucht wird, in der Jesus selbst dieses Wort zuerst ausgesprochen hat, spreche ich dann oft von neutestamentlicher ‚Übermalung‘, also keineswegs in pejorativem Sinn. Nur suche ich dann nicht nach der Fruchtbarkeit dieses Wortes für das christliche Leben späterer Generationen, sondern nach dem ursprünglichen Zusammenhang, in dem Jesus diese Aussage gemacht hat – wenn wir dann auch häufig nicht weiter kommen als bis zu der Einsicht, wie Markus, wie die Q-Tradition und wie Mattäus und Lukas dieses Wort auf ihre konkreten Situationen anwenden. ‚Übermalung‘ ist daher ein Ausdruck, der nur sinnvoll funktioniert in einem Projekt, in dem man nach dem sucht, was ich historische ‚Jesus-Echtheit‘ genannt habe. Anderseits finden wir gerade in den sogenannten kirchlichen Übermalungen das *Modell* dafür, wie wir Jesu Worte und Taten in unseren, anderen Situationen fruchtbar machen können. Die herabsetzende Kritik an dem Wort ‚Übermalung‘ ist daher völlig unangebracht.

Doch weiß ich, daß es verschiedene reale Fragen bezüglich der Q-Tradition gibt. Die entschiedensten wurden von einem Dogmatiker, nämlich P. Schoonenberg, und einem Exegeten, A. L. Descamps, formuliert[14]. Ihre Kritik gilt zwei Punkten: a) Die wissenschaftlich re-

---

[14] *P. Schoonenberg*, Schillebeeckx en de exegese, in: Tijdschrift voor Theologie 15 (1975)

konstruierte Q-Tradition enthält keine Verkündigung von Leiden, Tod und Auferstehung; aber die kritische Frage ist, ob dann nicht auch die wirkliche Q-Tradition diese voraussetzt; b) Aus der Q-Tradition auf eine Q-Gemeinde zu schließen bleibt problematisch und ist außerdem einfach überflüssig[15].

Das sind eindeutige Fragen, allerdings scheinen sie mir als solche apriorisch und abstrakt zu sein, das heißt losgelöst von ganz bestimmten konkreten Gegebenheiten, in denen sich abstrakt-mögliche Fragen entweder als faktisch sinnvoll oder als nicht sachdienlich erweisen. Die Q-Tradition ist nur eine wissenschaftliche Hypothese, mit der sich jedoch arbeiten läßt, während man das von vielen anderen Hypothesen (wenigstens zur Zeit) nicht sagen kann. Wissenschaftstheoretisch ist dies mehr, als man wünschen kann[16]. In dieser von Exegeten rekonstruierten Tradition Q ist keine Rede von Kreuzessoteriologie oder Auferstehungschristologie, wohl aber von Parusiechristologie. In alldem ist Schoonenberg mit mir einig, aber er stellt die Frage, ob das dabei angewandte ‚argumentum e silentio‘ nicht problematisch sei. Ich frage mich jedoch (übrigens mit vielen Exegeten), ob dieses Silentium-Argument hier sinnvoll gebraucht werden kann. Denn in den synoptischen Passions- und Erscheinungsberichten findet sich keine Spur der sogenannten wirklichen Q-Tradition, während Lukas und Mattäus natürlich nicht die ‚von Exegeten rekonstruierte‘, sondern die *wirkliche* Q-Tradition verwendet haben. Wo ist dann das ‚silentium‘? Das deutet darauf hin, daß in der wirklichen Q-Tradition keine Rede von Kreuzessoteriologie oder Auferstehungschristologie gewesen ist.

Doch bleibt dann noch die Frage: Kann diese Q-Tradition nicht in Gemeinden wirksam gewesen sein *neben* einer mehr unmittelbar soteriologischen und auf das Pascha bezogenen christologischen Verkündigung, die *in denselben Gemeinden* bei anderen Gelegenheiten in den Vordergrund trat? Abstrakt ist dies eine sinnvolle Möglichkeit. Das

---

255–268; *A. L. Descamps*, Compte Rendu, in: Revue Théologique de Louvain 6 (1975) 212–223.

[15] *P. Schoonenberg*, a. a. O. 256–259; *A. Descamps*, a. a. O. 219.

[16] Eine sehr vorsichtige, kritische und kurze Wiedergabe des heutigen Standes des Q-Problems (jedoch ohne Erwähnung der Frage nach einer Q-*Gemeinde*) hat inzwischen gegeben *M. Devisch*, La source dite des Logia et ses problèmes, in: Eph. Théol. Lov. 51 (1975) 82–89. Siehe jetzt auch *A. Polag*, Die Christologie der Logienquelle (Neukirchen–Vluyn 1977).

bringt uns zu dem zweiten Einwand, dem unnötigen und problematischen Sprung, den ich von der Q-Tradition auf eine Q-Gemeinde mit einer eigenen Christologie mache, die ausgesprochen auf die Parusie bezogen ist. Meines Erachtens können hier Apriori-Vorstellungen eine Rolle spielen. Schoonenberg und Descamps gehen offensichtlich von dem vor allem seit Bultmann und Käsemann üblichen Standpunkt aus, daß es nur ein einziges Urkerygma gegeben habe, die Auferstehung, aus dem dann unterschiedliche Entwicklungen entstanden seien; wie auch aus der früher von T. W. Manson vertretenen Annahme, die ‚logia‘ seien so etwas gewesen wie „a manual of instructions in the duties of Christian life", also *Bestandteil* einer sonst noch in derselben Gemeinde lebendigen ‚christologischen Tradition‘ über die Auferstehung. Gerade diese Auffassung ist seit H. E. Tödt und den meisten Q-Forschern nach ihm widerlegt. Q ist eine Tradition mit ganz bestimmten *dogmatischen* Absichten theologischer und christologischer Art; sie gibt keine explizite Auferstehungschristologie, sondern eine ganz bewußte, geschlossene Christologie, trotz vieler Unsicherheiten über den Umfang dieser vorkanonischen Traditionsschicht. Gerade diese beiden Voraussetzungen, von denen aus kritische Einwände tatsächlich verständlich werden und die (Hypo-)These einer Q-*Gemeinde* zugleich überflüssig wird, ziehe ich aufgrund der Arbeiten vor allem von W. Lührmann, H. E. Tödt und vieler anderer grundlegend in Zweifel. Dabei halfen mir vor allem die Detailuntersuchungen von J. Robinson und H. Köster, die es ablehnen, die altchristliche Literatur wissenschaftlich auf der Grundlage des Begriffs Kanon zu behandeln, der christlich berechtigt ist. Sie sehen daher kontinuierliche Traditionsschichten zwischen vorkanonischer und nachkanonischer Literatur bis zum 3. Jahrhundert im vornizänischen Christentum. Durch ihr Vorgehen ist mir klargeworden, daß eng umschriebene Traditionen bestimmte Traditionsträger erfordern, mit eigenen sozio-kulturellen und religiösen Voraussetzungen. Trotz fundamentaler Unterschiede, die sich in der fortschreitenden Geschichte zeigen, kann man jedoch eine Linie ziehen von Q über Mattäus zum Evangelium Thomae und den Acta Thomae, die tatsächlich so etwas zeigen wie *fortlebende* (wenn auch weiterentwickelte) Q-*Gemeinden*.

Schoonenberg weist ferner darauf hin, daß manche Texte bei Paulus und in der Apostelgeschichte nur von einer Parusiechristologie sprechen (etwa Apg 2,46; 1 Kor 11,26), während jeder weiß, daß in diesen

Schriften an anderen Stellen auch von einer Paschachristologie die Rede ist. Niemand wird aber leugnen, daß in der Verkündigung des *neutestamentlichen* Christentums Kreuz und Auferstehung eine nicht zu trennende Einheit bilden und daß trotzdem und gerade deshalb beispielsweise Paulus bald einmal ausschließlich vom Heilstod Jesu spricht, ohne die Auferstehung zu erwähnen, und an anderen Stellen wieder das Heil allein in der Auferstehung zu sehen scheint, ohne den Tod Jesu zu erwähnen (z. B. 1 Kor 1,17 – 2,5 gegenüber 1 Kor 15,12–19; auch in den Deuteropaulinen, z. B. Eph 1,17 – 2,10 gegenüber Eph 2,11–22). Hier kann man sich tatsächlich nicht auf ein ‚argumentum e silentio‘ berufen. Aber das gibt denn auch die Situation der *kanonischen Schrift* wieder. Sie setzt aber auf der Ebene ihrer Entstehung und somit noch unabhängig von ihrer kanonischen Anerkennung einen langen Prozeß voraus, in dessen Verlauf allmählich aus ganz unterschiedlichen christlichen Hintergründen ein allgemein-kirchliches Bewußtsein erwächst – die Verbindung zwischen dem Tod Jesu und der Phase der Schriftentstehung. In dieser Periode wird die allen Traditionen gemeinsame ‚Ostererfahrung‘ zwar unterschiedlich interpretiert, und nicht in jedem Fall per se in der Form des paulinischen Auferstehungskerygmas, zumindest entsprechend der mehr oder weniger großen Wahrscheinlichkeit der betreffenden historischen Rekonstruktionen.

Wegen alldem besteht wissenschaftlich eher Grund zu der Annahme (mehr behaupte ich auch nicht), daß der Ausgangspunkt des Neuen Testaments ein Pluralismus ist von christlichen Traditionen und vielleicht sogar von Gemeinden mit eigenen abgerundeten, wenn auch ‚offenen‘ Christologien, als zu der Annahme, daß es anfangs eine einzige christliche (etwa die Jerusalemer) Gemeinde gegeben habe mit dem schon von Anfang an ‚kanonischen Auferstehungs-Credo‘[17]. Ein

---

[17] Leider sind die Beispiele, die Schoonenberg zur Negation einer Q-*Gemeinde* zitiert, keineswegs tauglich. Daß Paulus, einschließlich der Deuteropaulinen, manchmal den Tod des Herrn verkündet, ohne dabei die Auferstehung zu erwähnen, die *er* jedoch ohne jeden Zweifel bekennt, scheint mir kein Gegenargument zu sein, weil es meist von ihm zitierte Texte betrifft (häufig aus einem liturgischen Kontext), die *bei Paulus* natürlich in seine Paschachristologie aufgenommen sind; aber damit ist noch keineswegs gezeigt, daß sie in ihrem ursprünglichen, nicht-paulinischen Kontext in gleicher Weise integriert waren. Oft weisen paulinische Einschübe oder Retuschen solcher von Paulus zitierten Texte in eine entgegengesetzte Richtung. Auch darf man nicht von der Voraussetzung ausgehen, die Theologie vom Mahl des Herrn sei in allen frühchristlichen Gemeinden die gleiche gewesen. Dann *setzt* man schon eine ‚regula fidei‘ *voraus*, die aber noch ‚im

Argument dafür war also keineswegs die Überlegung, daß der Unterschied zwischen Parusiechristologie und Paschachristologie so groß sei, daß deshalb zwei Gruppen von Gemeinden als ihre Träger in Betracht kommen müßten. Dieses Argument lehne ich gerade ab; ich sage ausdrücklich, daß, wenn diese christlichen Traditionen oder Gruppen miteinander oder mit anders orientierten Traditionen oder Gemeinden, mit einem expliziten Auferstehungskerygma, in Berührung kommen, sie darin letztlich *leicht* und *spontan* eine Explizitmachung ihres *eigenen* Glaubens haben erleben können (I, 350–351). Daß dies jedoch nicht alle konnten, geht aus der (noch viel späteren) Existenz von Gemeinden hervor, die alle Züge der Q-Christologie aufweisen. Sind das Gemeinden, die sich später von der großen orthodoxen Kirche trennten? Oder ist es nicht eher wahrscheinlicher, daß vorkanonische Christologien, getragen von Gruppen von Christen, einfach ihre Fortsetzung gefunden haben, auch noch, nachdem sich die allgemein-kirchliche ‚regula fidei' abzuzeichnen begann? Die historischen Daten darüber sind zwar spärlich; denn von dem ganzen ursprünglichen ostsyrischen Christentum mit – soweit wir etwas davon wissen – erkennbaren Zügen der Q-Tradition, wie auch von dem frühen ägyptischen Christentum, das von der Apostelgeschichte verschwiegen wird, wissen wir letztlich wenig. Aber die Angaben, die es über dieses lebendige Christentum gibt, weisen eher in die Richtung der Hypothese einer bestimmten Gemeindetheologie mit einem starken jüdischen Einschlag, ganz im Zeichen des Kommens des Reiches Gottes bei der Parusie Jesu. Der heute noch bestehende Ärger der

---

Werden war'. Die Schwierigkeiten hinsichtlich der Annahme oder Ablehnung der Kanonizität mancher neutestamentlicher Schriften zeigen in der nachapostolischen Zeit noch die theologische Eigenheit vieler Gemeinden, was zugleich mit ihrem geographischen und soziokulturellen Hintergrund zu tun hat. Dies alles schließt natürlich keineswegs theologische Entwicklungen, auch innerhalb ein und derselben Gemeinde, aus. – Tatsächlich ist auch das Verhältnis zwischen Erhöhung und Auferstehung historisch sehr komplex (siehe I, 635, A. 51); aber anderseits verrät die Behauptung, der Auferstehungsgedanke müsse Grundlage der Erhöhung sein und die letztere die erste implizieren (wie *J. Lambrecht* es tut: De oudste christologie: verrijzenis of verhoging?, in: Bijdragen 36 [1975] 118–144) eher eine bestimmte *systematisch*-christologische Einstellung (typisch dafür bei Lambrecht ist der Einschub von ‚zumindest logisch' auf Seite 138) als eine rein exegetisch-historische Rekonstruktion: dann argumentiert man von dem kanonisch gewordenen Paschabegriff oder von bestimmten dogmatischen Voraussetzungen aus. Die Frage heißt aber gerade: Was ist in den vor-kanonischen Traditionen konkret jeweils mit realer wirklicher Ostererfahrung gemeint?

ägyptischen Christenheit über das ‚neutestamentliche Verschweigen‘ ihrer alten christlichen Tradition ist nicht grundlos.

Der weiteren Behauptung, das Weglassen der Frage nach den Trägern der Q-Tradition (also die Frage nach Q-*Gemeinden*) sei für die systematische Theologie bedeutungslos, kann ich bis zu einem gewissen Grad beipflichten. Inhaltlich bedeutet dies tatsächlich wenig. Doch ist die Frage danach keineswegs überflüssig. Denn die Antwort darauf liefert uns einen dogmengeschichtlichen Querschnitt der Entstehung des urchristlichen Auferstehungskerygmas. Die urchristlichen Jesus-Interpretationen sind dann offensichtlich nicht immer eine bloß immanente Entwicklung innerhalb einer Gemeinde gewesen, sondern haben, genauer, von Anfang an auch gegenseitigen Austausch oder evangelische Kritik zwischen den verschiedenen Gemeinden enthalten. Systematisch hilft uns diese dogmengeschichtliche Rekonstruktion in all ihrer wissenschaftlichen Relativität, die Bedeutung der einen Ekklesia und der vielen lokalen Ekklesiai besser zu verstehen. In dieser Entwicklung sehe ich ein ‚ökumenisches‘ Prinzip wirksam (siehe I, 51 mit Anm. 6 auf I, 600), und das ist systematisch doch relevant.

Dagegen muß ich die Kritik von W. Löser an meinem Gebrauch der Q-Tradition als ‚Science-fiction‘ bezeichnen. Nach Ansicht dieses Rezensenten gebe ich der Q-Tradition und der vormarkinischen Überlieferung, mit anderen Worten dem ganzen vorsynoptischen Material, den *Vorrang* vor späteren Strömungen, *um* so die Auferstehungschristologie zu relativieren [18]. Ich werde weiter unten, bei der Besprechung der Paschachristologie, ausführlich darauf eingehen. Hier kann ich schon sagen, daß ich in meinem ganzen ersten Jesusbuch gerade die Paschachristologie in die Botschaft, das Leben und die Lebenspraxis Jesu integrieren will, weil sonst eine Paschachristologie zum ‚formalisierten‘ Kerygma wird ohne Fundament im Leben Jesu. Die Paschachristologie wird im ganzen Neuen Testament vom ‚eschatologischen Propheten‘ *Jesus* und nicht von einem Herrn X ausgesagt. Statt einer Rejudaisierung Jesu auf Kosten des christlichen Kerygmas liegt darin die Anerkennung, daß die ersten christlichen Jesus-Interpretationen *jüdische* (jüdisch-christliche) Interpretationen gewesen sind von Menschen, die nicht nur dramatisch mit der Hinrichtung Jesu konfrontiert, sondern auch von seiner Botschaft, seinem ganzen Verhalten und Auf-

---

[18] *W. Löser*, a. a. O. 263.

treten zutiefst fasziniert wurden. Hier finden wir Traditionen, die uns Erinnerungen an das Auftreten Jesu in Palästina weitergeben. Das bedeutet keineswegs ein Vorurteil gegenüber weiterer Dogmenentwicklung in den vorneutestamentlichen und in den neutestamentlichen Christologien. Ich selbst sage wiederholt, daß sich über Jesus vor seinem Tod kein Endurteil fällen läßt. Man könnte eher behaupten, daß bestimmte Rezensenten von einem Vorurteil gegen frühjüdische christliche Jesusinterpretationen zeugen. In diesen Sequenzen meines ersten Jesusbuches, auf die sich diese Kritik bezieht, gebe ich nicht den (immer vorläufigen) Endzustand der Christologie, sondern zeichne ich dogmengeschichtliche Phasen nach. Sogar die Tatsache, daß das Credo, das Paulus in 1 Kor 15, 3–5 zitiert, älter ist als etwa die Q-Tradition, bedeutet noch nicht, daß schon in diesem alten, vorpaulinischen Credo die ganze paulinische Christologie vorhanden sei und daß es außerdem schon für alle Christen gelte!

4. Verschiedene Rezensenten werfen mir schließlich vor, ich zeige unter dem Einfluß der deutschen Exegese eine Skepsis gegenüber der Historizität des Johannesevangeliums, so daß mein historisches Jesusbild einseitig synoptisch ausfalle. Zu einem Teil muß ich das zugeben, zu einem anderen Teil beruht diese Kritik meines Erachtens auf einem Mißverständnis.

Es ist tatsächlich so, daß ich beim Schreiben meines ersten Jesusbuches das Johannesevangelium nicht genügend kannte. Ich habe es erst richtig studiert bei der Vorbereitung meines zweiten Jesusbuches. Von daher könnte ich das historische Jesusbild in meinem ersten Jesusbuch tatsächlich ergänzen, wenn sich auch die Grundlinien dadurch nicht ändern. Anderseits hatte ich bei der Planung meiner ursprünglich zwei Jesusbücher (beim Schreiben des zweiten Buches kam ich erst zu der Erkenntnis, daß es eine Trilogie werden müsse) das Studium der *neutestamentlichen* Christologie (abgesehen also von dem, was vorneutestamentlich schon geschehen war) vor allem meinem zweiten Buch vorbehalten. Man kann dem ersten Teil also nicht vorwerfen, daß er das nicht behandelt hat, was im zweiten Buch zur Sprache kommt. Zu einem anderen Teil beruht diese Kritik aber auf einem Mißverständnis. Detailuntersuchungen, vor allem von J. Robinson, hatten schon länger die Einseitigkeit einer bloß synoptischen Jesusforschung vor allem in der deutschen Exegese entlarvt. In seinem ‚Jesusbuch‘ hatte H. Braun gesagt: „Für eine Rückfrage nach dem historischen

Jesus entfällt das vierte, das Johannesevangelium, völlig."[19] Sein Grund war: Dieses Evangelium ist gänzlich unjüdisch, unpalästinensisch und hellenistisch-orientalischen Ursprungs. Vor allem in der angelsächsischen Exegese der letzten zehn Jahre ist diese Auffassung vom Johannesevangelium grundlegend erschüttert worden. Besonders aus meinem zweiten Jesusbuch geht hervor, daß es für mich klar ist, daß das Johannesevangelium keine andere Struktur besitzt als die synoptischen Evangelien: Es verarbeitet, wie sie, in einer evangelischen oder kerygmatischen Weise historische Erinnerungen an Jesus. Johannes stützt sich ganz entschieden auf ältere Traditionen, selbst palästinensischen Ursprungs, mit einem vielleicht andersgearteten, aber trotzdem eigenen historischen Interesse an bestimmten Aspekten des Lebens Jesu und vor allem an dessen geographischer Umgebung. Deshalb war schon in meinem ersten Jesusbuch das Johannesevangelium für mich *genauso* wie die ersten drei Evangelien Quelle historischer Kenntnis über Jesus (allerdings wußte ich damals noch nicht, daß dieses Evangelium für manche Aspekte des Lebens Jesu historisch sogar zuverlässiger ist als die Synoptiker). „The two gospel streams become mutually enlightening and the cleft between the synoptics and John is bridged"[20] und somit: „The ‚synoptic problem' needs to be recast in terms of a ‚gospels problem'"[21]: Diese Worte von J. Robinson standen mir schon bei dem ersten Jesusbuch deutlich vor Augen. Eine Kritik, die mich in die Richtung von H. Braun drängen will, muß ich daher zurückweisen. Die grundlegende Annahme der globalen Historizität – die ich auch nicht a priori[22], sondern a posteriori verteidige (I, 62 und 71–73) – gilt daher den *vier* Evangelien und nicht nur den Synoptikern. Zur Annahme dieser Präsumption trug gerade das Johannesevangelium wesentlich bei (siehe I, 39–40, über ‚Pneuma und Anamnese').

Zwar weise ich den Vorwurf der Skepsis gegenüber der Geschichtlichkeit des Johannesevangeliums entschieden ab, aber es steckt anderseits ein Kern von Wahrheit in der einseitigen deutschen Jesus-Inter-

---

[19] Jesus (Stuttgart – Berlin [2]1969) 30.
[20] *J. M. Robinson – H. Koester,* Trajectories Through Early Christianity (Philadelphia 1971) 267.
[21] A. a. O. 238.
[22] Wenn ich in I, 72 sage, daß „die Vermutung, im Gegensatz zu dem, was mancher *Formgeschichtler* einfach als evident ansieht, nicht *gegen,* sondern *für* das auch ‚historische' Interesse der urchristlichen Traditionen an Jesus" spricht, dann ist das nicht eine apriorische Aussage, kein Ausgangspunkt, sondern Forschungsergebnis.

pretation auf der Grundlage der Synoptiker: Gerade daher stammt das Mißverständnis bei meinen Kritikern. Im Gegensatz zu den Synoptikern gibt es für viele Einzelheiten im Johannesevangelium weniger oder kein Vergleichsmaterial; dadurch wird es in der Praxis schwieriger, für Details festzustellen, ob diese oder jene Angabe im Johannesevangelium wirklich historisch ist. Es ist also völlig konsequent, wenn man einerseits erklärt, Johannes habe prinzipiell in bezug auf historische Information den gleichen Wert wie die Synoptiker, und anderseits in der Praxis bei vielen Einzelheiten aus dem Johannesevangelium zu einem historischen Urteil nicht imstande ist. Das ist nun einmal die Armut der historischen Methode, wie effizient sie auch ist. So sage ich, die nur bei Johannes zu findende Mitteilung, daß Jesus auch taufte, könne durchaus historisch zutreffend sein; aber wie kann man ihre Richtigkeit historisch sichern? Man kann es nur offenlassen. Dadurch, daß ich mich in vielen Einzelheiten nicht auf Johannes berufe, habe ich tatsächlich verschiedene Details offenlassen wollen. Man kann sie nicht a priori doch einfach für historisch halten, wenn dies aufgrund historischer Kriterien unmöglich ist, denn dann beginnt man einfach zu ‚tun als ob‘. Hier gilt voll und ganz, was B. van Iersel sagt: Die Annahme einer globalen Historizität entscheidet nichts über Details, es sei denn, man übernimmt die historische Beweislast dafür[23]. Doch ist auch bei Johannes viel zu erreichen durch den Gebrauch des Prinzips der Konsistenz. Dieses habe ich denn auch kräftig angewandt, etwa hinsichtlich des endzeitlichen Boten bei Johannes (I, 424–425 und 438–439), gerade weil hier brauchbares Material in johanneischen oder vor-johanneischen Kategorien vorliegt, das sich mit den Synoptikern vergleichen läßt. Daß sich wahrscheinlich noch mehr historisch aus dem Johannesevangelium herausholen läßt (wie übrigens auch aus den Synoptikern), als von mir geschehen ist, will ich gern zugeben. Aber den Vorwurf der Skepsis meinerseits halte ich für unbegründet.

Die unvermeidliche Relativität der trotzdem gültigen historischen Methode hat auch zur Folge, daß ich einerseits prinzipiell behaupten kann, das, was bei einem bestimmten Zeugen, bei Markus etwa, ‚sekundär‘ oder ‚redaktionell‘ ist, könne dennoch im Ganzen der Gemeinden, mit ihrem anders orientierten Interesse, ein echtes Jesus-

---

[23] *B. van Iersel*, Onontbeerlijke prolegomena tot een verhaal over Jezus, in: Kosmos en Oecumene 7 (1974) (174–179) 176.

wort sein, während anderseits von der Anwendung dieses Prinzips *in Details* bei mir praktisch nicht viel zu merken sei (Kritik von Schoonenberg)[24]. Doch ist auch dies keine Inkonsequenz, sondern nur die Folge des konsequent durchgehaltenen Prinzips, daß man die historische Beweislast akzeptieren muß. Es ist im geschichtlichen Geschehen Jesu mehr geschehen, als wir historisch sichern können. Jede historische Rekonstruktion gibt daher aus der Natur der Sache ein etwas entstelltes Bild, aber es genügt doch wirklich weitgehend, um die *gläubige* Tradition auch vor dem Forum des kritischen Denkens eine sinnvoll begründete, eigene Wirklichkeitserfahrung und -interpretation nennen zu können; es genügt auch, um Jesu Beziehung zum kommenden Reich Gottes zu kennzeichnen, genügt sogar, um die *religiöse* welt- und gesellschaftskritische Verkündigung und Praxis Jesu als geschichtlich gegeben verständlich zu machen.

c) Folgerungen aus der Anerkennung der theologischen Relevanz einer historischen Jesusforschung

Die aus theologischem Interesse gestellte Frage nach dem historischen Jesus hat unter anderem die theologische Neubewertung des prophetischen Auftretens Jesu, seiner Botschaft und seiner konsequenten Lebenspraxis zur Folge gehabt, wobei dann außerdem Tod und Auferstehung Jesu nicht kerygmatisch formalisiert werden. Das ist ein anderer Akzent im Vergleich zu der früheren Christologie, die fast ausschließlich auf Tod und Auferstehung Jesu und die ,hypostatische Union' konzentriert war und die zudem in Gegensatz steht zu der alten Christologie, etwa eines Thomas von Aquin, der den größten Teil seiner Christologie, wenn auch mit einem mittelalterlichen Interesse, den ,mysteria carnis Christi', das heißt dem ganzen Auftreten Jesu: seiner Taufe, Botschaft und Praxis, widmet[25]. In dieser theologischen Neu-

---

[24] *P. Schoonenberg,* a. a. O. (Anm. 14). Leider führt Schoonenberg dafür ein Beispiel an, das eben nicht aufgeht, weil ich bei dem erwähnten sekundären Text gerade für Jesus-Echtheit plädiere. In I, 273–274 sage ich, daß Mk 14,25 b (das zweite Glied ,bis daß...') sekundär ist. Das bedeutet nach meiner Grundsatzerklärung nicht: also nicht Jesus-echt. Ich habe ausdrücklich erklärt: „das zweite Glied ,bis daß...' ist anderer Herkunft: auch an anderer Stelle ist die Rede vom eschatologischen Gastmahl" (a. a. O.: was in I, 271–273 analysiert wurde, siehe I, 616, A. 95 und I, 183–193). Mit anderen Worten, auch das zweite Glied ,bis daß...' ist Jesus-echt; ich sage daher letztlich, daß *nur ,die Kombination'* (I, 274) von zwei Jesus-echten Gegebenheiten sekundär ist.

[25] *Thomas v. Aquin,* Summa Theologiae, III, q. 30 – q. 59.

bewertung werden Tod und Auferstehung Jesu stärker aufeinander bezogen, während auch sein Tod dann wieder als Implikation der Radikalität seines ganzen Auftretens verstanden wird: seiner Botschaft, seiner Gleichnisse und seiner Lebenspraxis (II, 776–779). Das heißt, das ganze Urchristentum, nicht nur der Paulinismus oder auch nur der Johanneismus, wird dann ganz ernst genommen, und gerade dadurch erhalten beispielsweise Paulinismus und Johanneismus schärfere Konturen. Für Paulus und den Paulinismus ist der Tod Jesu tatsächlich das Resümee der Botschaft und Lebenspraxis Jesu. Warum das so ist, wird aber erst offenkundig dank der in diesen beiden Jesusbüchern angewendeten Methode, bei der – vor allem im ersten Jesusbuch – eine Rekonstruktion des ‚Jesus der Geschichte‘ und der davon kaum zu lösenden ältesten christlichen Namengebungen (wie etwa der ‚eschatologische Prophet‘, siehe weiter unten) tatsächlich eine große Rolle spielen, im Gegensatz zu dem, was sogar progressive ‚klassische Christologien‘ gezeigt haben und noch zeigen.

Gerade dieser methodische Ansatz macht außerdem deutlich, warum ein historisches Jesusbild unfertig bleibt, solange die historischen Umstände der Hinrichtung Jesu und somit der innere Zusammenhang dieses Todes mit seiner Botschaft und seinem ganzen Auftreten dunkel bleibt (I, 260–281; II, 776–784). Die Tatsache, daß die Jünger beim Tod Jesu so sehr niedergeschlagen waren, ist historisch der beste Beweis dafür, wie hoch, schon vor seinem Tod, die Erwartungen der Jünger hinsichtlich Jesu waren. Schon der elende Zustand, in dem sie sich befanden, setzt eine erste, sogar prononcierte Personidentifikation vor Jesu Tod voraus, als alles verloren zu sein schien, alle Hoffnung für Israel vorbei war: „*Wir lebten in der Hoffnung*, daß er (= „Jesus der Nazarener, ein Mann, der ein Prophet war, mächtig in Tat und Wort“, Lk 24,19b) derjenige sei, der Israel erlösen würde“ (Lk 24,21). Zwar kann die Formulierung des Lukas beeinflußt sein durch das ‚spätere‘ Christusbekenntnis, aber daraus geht doch hervor, daß die Jünger schon vor dem Ostergeschehen außerordentlich hohe Erwartungen an Jesus gestellt hatten – was anderseits auch bestätigt wird durch die Tatsache, daß Gegner Jesu ihn beseitigen ließen. Meines Erachtens gingen diese vorösterlichen Vermutungen in die Richtung des ‚zwischentestamentlichen‘ Begriffs vom eschatologischen Propheten-wie-Mose, größer-als-Mose (siehe unten Kap. V, A).

IV.

Aktuelle Benennung Jesu: lebendige
Tradition dank erneuter Erfahrung

Was für andere gestern Erfahrung war, ist heute für uns Tradition; und
was heute für uns Erfahrung ist, wird morgen für andere wieder Tradition sein. Aber was einmal Erfahrung war, kann erst in erneuten Erfahrungen weitergegeben werden, zumindest als *lebendige* Tradition (II,
27–57). Ohne immer wieder erneute Erfahrung entsteht ein Bruch
zwischen dem Erfahrungsgehalt des fortschreitenden Lebens und der
Artikulation früherer Erfahrungen; ein Bruch zwischen Erfahrung und
Lehre und zwischen Mensch und Kirche. Das schon bedeutet, daß das
Christentum nicht so sehr eine Botschaft ist, die geglaubt werden muß,
sondern eine *Glaubenserfahrung, die Botschaft wird* und als verkün-
dete Botschaft eine neue, erfahrbare Lebensmöglichkeit anderen anbieten will, die in ihrer eigenen Lebenserfahrung davon hören.

A. KRITISCHE KORRELATION
ZWISCHEN DAMALS UND HEUTE

Die dritte Angel, um die sich diese beiden Jesusbücher drehen, hat mit
der *kritischen* Korrelation zwischen den beiden Quellen der Theologie
zu tun, über die oben gesprochen wurde, also mit der christlichen
Erfahrungstradition und mit unseren heutigen Erfahrungen.

Aus dem Vorausgegangenen ist schon ersichtlich geworden, daß wir
alle überlieferten Auslegungen der Heilsbedeutung Jesu nicht einfach
übernehmen können. Anderseits gibt es genausowenig eine Heilsbedeutung Jesu ‚an sich‘ als eine Art zeitloser, übergeschichtlicher abstrakter Gegebenheit. Und schließlich können wir als Christen genausowenig willkürlich etwas aus Jesus machen oder in ihm nur eine
‚Chiffre‘ für eigene menschliche Erfahrungen sehen. Es geht vielmehr
um eine kritische Korrelation, in der wir unser Glauben und Handeln
innerhalb unserer eigenen Lebenswelt, hier und heute, auf das abstim-

men, was in der biblischen Tradition ausgesagt wird. Diese Korrelation erfordert daher – 1. eine Analyse unserer heutigen Erfahrungswelt und – 2. ein Aufspüren der konstanten Strukturen der christlichen Grunderfahrung, von der das Neue Testament und auch die spätere christliche Erfahrungstradition sprechen, und – 3. das kritische Inbezugsetzen dieser beiden ,Quellen'. Denn diese biblischen Elemente werden für Christen ihre heutigen Erfahrungen strukturieren müssen, wie sie auch die eigene Lebenswelt der verschiedenen biblischen Autoren christlich strukturiert haben. Erst dann gibt es Kontinuität in der christlichen Tradition. Diese Kontinuität erfordert also auch Aufmerksamkeit für die Veränderung von Fragehorizonten.

a) Strukturprinzipien

Wenn wir die unterschiedlichen Auslegungen des Neuen Testaments nachgezeichnet haben, wird es möglich, sie miteinander zu vergleichen und nach konstanten Strukturen zu suchen, die wir in jeder der neutestamentlichen Schriften wiederfinden und welche die unterschiedlichen Auslegungen zusammenhalten. Mit Hilfe dieser mannigfach interpretierten, jedoch stets gleichen Grunderfahrung werden dann Strukturelemente sichtbar, welche die eine neutestamentliche Erfahrung strukturiert haben. Unsere Art gläubigen Denkens, Lebens und christlichen Handelns wird durch dieselben Elemente strukturiert werden müssen, wenn das, was wir glauben und tun, Anspruch auf *Christlichkeit* erheben will, jedoch in unserer anderen Lebenswelt, die sich von der des neutestamentlichen Christentums unterscheidet.

Vier formende Prinzipien, die aus einer gleichen Grunderfahrung die Auslegungen des Neuen Testaments in all ihren Unterschieden innerlich jedoch zusammenhalten und bei einem Vergleich miteinander deutlich werden, sind die folgenden (II, 611–623):

1. *theologisches* und *anthropologisches Grundprinzip:* der Glaube, daß Gott Heil von und für Menschen sein will und daß er dies mit Hilfe unserer Geschichte, inmitten von Sinnlosigkeit auf der Suche nach Sinn, realisieren will; so fällt das Finden von Heil in Gott zusammen mit einem Zu-sich-selbst-Kommen des Menschen: Heil finden in Gott heißt zugleich mit sich selbst ins reine kommen;

2. *christologische Vermittlung:* der Glaube, daß es gerade Jesus von Nazaret ist, der vollkommen und endgültig enthüllt, worum es Gott

zu tun ist und worum es auch dem Menschen eigentlich zu tun sein muß;

3. *ekklesiologische Geschichte und Praxis:* der Glaube, daß diese Geschichte Gottes in Jesus weitererzählt wird, um auch uns in sie einzubeziehen: Wir selbst können und dürfen Jesus nachfolgen und so ein eigenes Kapitel in dieser lebendigen, weitergehenden Geschichte Jesu schreiben:

4. *eschatologische Vollendung:* der Glaube, daß diese Geschichte im irdischen System unserer Geschichte nicht zu ihrer Vollendung kommen kann und deshalb einen *eschatologischen* Ausgang kennt, für den die Grenzen unserer Geschichte zu eng sind; Glaube also an das ‚Schon‘ und das ‚Noch nicht‘.

Angesichts mannigfacher Fragen und Probleme tun die verschiedenen neutestamentlichen Autoren nichts anderes, als diesen vier Gegebenheiten der Grundgeschichte immer wieder von neuem eine andere Fassung zu geben und sie gleichsam neu zu komponieren, ohne der Grundgeschichte untreu zu werden. Die drei ersten Prinzipien will ich näher analysieren (das vierte Element beschließt weiter unten diese Analyse).

1. Die christliche Erfahrung, die von einer ursprünglich jüdischen Gruppe von Menschen an Jesus von Nazaret gemacht wurde, wuchs zu dem Bekenntnis, daß für diese Menschen, die anfangs allein von Außenstehenden ‚Christen‘ genannt wurden, die schmerzliche und menschlich unlösbare Frage nach dem Warum und dem Sinn des Lebens als Mensch in Natur und Geschichte, in einem Kontext von Sinn und Sinnlosigkeit, von Leid und Momenten der Freude, eine positive und einzigartige, alle Erwartungen übertreffende ‚Antwort‘ erhalten hat: Gott selbst verbürgt sich dafür, daß das menschliche Leben eine positiv-sinnvolle Bedeutung erhält. Er selbst hat seine eigene Ehre dafür aufs Spiel gesetzt: diese Ehre ist seine Identifikation mit dem verstoßenen und ausgebeuteten Menschen, mit dem unfreien Menschen, vor allem dem Sünder, das heißt mit dem Menschen, der den Mitmenschen und sich selbst so kränkt, daß dieses Kränken ‚zum Himmel schreit‘ (siehe Ex 2,23–25; 3,7–8). Dann „steigt Gott herab“ (Ex 3,8): „So sehr hat Gott die Welt geliebt, daß er seinen einziggeliebten Sohn dahingegeben hat, damit jeder, der an ihn glaubt, nicht verlorengehe“ (Joh 3,16). Schließlich – und das ist zugleich „ein Anfang“ – entscheidet Gott über Sinn und Lebensbestimmung des Menschen, und zwar

zugunsten des Menschen. Er überläßt diese Entscheidung nicht der Willkür kosmischer und historischer, chaotischer und dämonischer Mächte, auf deren krummen Zeilen er gerade zu schreiben versteht und deren krumme Zeilen er vor allem geradeziehen will. Als Schöpfer ist Gott der Förderer des Guten und der Bekämpfer von Übel, Leid und Unrecht, von Dingen also, die den Menschen in Sinnlosigkeit stürzen. In ihrer Erfahrung von Lebenssinn und Lebenserfüllung erleben die Jünger Jesu bei ihrer Begegnung mit ihm Heil von Gott. Weil sie Initiative Gottes ist, die alle Erwartungsvorstellungen übertrifft, wird diese Lebensbestimmung als unverdientes Geschenk, als Gnade, erfahren. Darin entsprechen sich Altes und Neues Testament: Jahwe ist ein Gott der Menschen, er ist „Ich bin" (Ex 3,14), das heißt „ich trage Sorge für euch" (Ex 3,16). Der Name Gottes ist: ‚solidarisch-mit-meinem-Volk'. Gottes eigene Ehre liegt im Glück und Wohlergehen, im Heil der Menschen, die selbst ihr Glück in Gott finden. Gottes Vorherbestimmung und des Menschen Erfahrung von Lebenssinn sind zwei Aspekte ein und derselben Heilswirklichkeit. In der Schrift zeigt sich also schon die *kritische* Korrelation zwischen Religion und menschlicher Erfahrung. Heil von Gott her hat mit menschlichem Heil-sein und Glück zu tun, und dieses steht in einer wesentlichen Beziehung zu der Solidarität des Menschen mit dem auf Menschlichkeit bedachten lebendigen Gott.

2. Der von Gott schon von altersher angelegte und angestrebte Sinn oder die Lebensbestimmung des Menschen wurde erschlossen und somit in einer Erfahrung von Gläubigen erkennbar gemacht in der Person, im Leben und in der Bestimmung Jesu von Nazaret: in seiner Botschaft und in seinem Leben, seiner Praxis und in den konkreten Umständen, unter denen er hingerichtet wurde. Ein solches Leben und ein solcher Tod haben Wert in und aus sich und nicht erst durch eine nachträgliche Ratifizierung der Bestätigung, durch wen auch immer. Aber gerade deshalb hat dies Wert primär für Gott, der darin seine eigene Solidarität mit seinem Volk, seinen eigenen Namen erkennt und sich daher nicht nur mit den Idealen und Visionen Jesu, sondern auch mit dessen Person selbst identifiziert: So wird die Lebensbestimmung Jesu über den Tod hinaus vollendet in seiner Auferstehung vom Tod, Gottes Amen zur Person und zum ganzen Lebenswerk Jesu, zugleich göttliche Bejahung seines eigenen Wesens: ‚solidarisch mit dem Volk': „Gott ist Liebe" (1 Joh 4,8 und 4,16). Gott mag im Leben der religiösen Mensch-

heit viele Namen haben, für die Christen zeigt er sein wahres Antlitz in der selbstlosen Parteilichkeit Jesu Christi als des guten Hirten auf der Suche nach dem verirrten, verlorenen und getretenen Schaf.

In Jesus ist sowohl Gottes Absicht mit dem Menschen als auch der Sinn des menschlichen Lebens ganz gezeichnet: Förderung des Guten, Widerstand gegen alles Böse. Daher stand sein Lebensschicksal unter einer besonderen Sorge Gottes. Er ist der einzigartige Geliebte Gottes als Gabe an die Menschheit. Sein Lebenslauf ist Erfüllung und Erweis der göttlichen Sorge für die Menschen, jedoch in und durch die freie und verantwortliche, menschliche und religiöse Initiative Jesu selbst, im Konflikt und im Widerstand, der durch sein Auftreten als Verfechter der Sache des Menschen als der Sache Gottes konkret hervorgerufen wurde. Darin ist er ein treffendes Symbol der menschlichen Lebensproblematik und des endgültigen Heilswillens Gottes.

3. Die Erinnerung an die Geschichte Gottes mit den Menschen in Jesus ist, in der biblischen ‚Erinnerung‘, nicht nur ein Sich-Erinnern dessen, was früher stattfand. Es ist ein erzählendes Zurückgreifen auf die Vergangenheit mit dem Blick auf ein Handeln in der Gegenwart für eine befreite Zukunft. Gott ‚erinnert sich‘ seiner früheren Heilstaten, indem er neue Taten der Befreiung vollbringt. So ist christlicher Glaube eine Erinnerung an das Leben und den Tod des auferstandenen Jesus durch ein Handeln in der Nachfolge Jesu – nicht durch ein imitierendes Tun dessen, was er getan hat, sondern indem man sich wie Jesus aus einem intensiven Gotteserleben auf eigene neue Situationen einstellt. Das christliche Leben selbst muß und kann ein Gedächtnis Jesu Christi sein. Das rechtgläubige Bekenntnis ist nur der Ausdruck wahrhaft christlichen Lebens als ‚Erinnerung an Jesus‘. Losgelöst von dieser Praxis gemäß dem Reich Gottes ist das christliche Bekenntnis ungefährlich und von vornherein ‚unglaubwürdig‘. Die lebendige Gemeinde ist die einzige echte Reliquie Jesu. So arbeitet der Christ in freier Verantwortung an der Vollendung von Gottes Projekt endgültiger Sinngebung. Darin aktualisiert sich die Wechselbeziehung zwischen Gottes universalem Heil in Jesus und menschlichem Heil und Glück für alle und jeden.

Über die Geschichte von Jesus – die erste Quelle der Theologie – können wir letztlich nur in Begriffen der Geschichte von der christlichen Gemeinde sprechen, die in den Erfahrungen unserer Zeit lebendig ist – die zweite Quelle der Theologie. Auferstehung, Gemeindebildung und Weltverbesserung gemäß der Praxis des Reiches Gottes bilden also ein einziges Geschehen: mit einer pneumatischen und einer geschichtlichen Seite. Welches sind aber *unsere* modernen Erfahrungen?

b) Heutige Lebenserfahrung und ihre christliche Strukturierung

Erst wenn sie vor dem Hintergrund dieser vier Strukturprinzipien nach dem Inhalt ihrer heutigen Erfahrungen, Probleme und Fragen suchen, können Christen in einer kritischen Korrelation, schöpferisch und doch evangeliumtreu, gläubig sagen, wie sie heute in Jesus Heil von Gott erfahren. Zeitgenössische neue Erfahrungen haben eine hermeneutische, das heißt eine Verstehen fördernde Bedeutung für den eigenen christlichen Erfahrungs- und Erkenntnisinhalt, wie umgekehrt die spezifisch-christlichen Erfahrungen und deren Auslegungen, wie sie in der Schrift und in der langen christlichen Erfahrungstradition zum Ausdruck gekommen sind, eine eigene ursprüngliche Kraft haben, kritisch und produktiv unsere allgemeinmenschlichen Erfahrungen in der Welt zu erschließen.

Wenn Tradition – in diesem Fall: die jüdisch-christliche Tradition – nur durch erneute Erfahrung als *lebendige* Tradition weitergegeben werden kann, schließt dies per se ein, daß unsere heutige Situation ein innerer Bestandteil dessen ist, was die christliche Botschaft *für uns bedeutet*. Es ist daher auffallend, daß die Zeiten, in denen man sich mit neuem Nachdruck auf eigene Erfahrungen, individuell und kollektiv, beruft, immer Krisenzeiten sind, in denen man einen Bruch zwischen Tradition und Erfahrung statt Kontinuität zwischen (etwa christlicher) Erfahrungstradition und aktualisierender Erfahrung erlebt. Auch alte Erfahrungen haben natürlich kritische und umformende Kraft; gerade daran erinnern die vier Strukturprinzipien immerfort kritisch. Aber auch neue Erfahrungen haben ihre eigene produktive und kritische Kraft, sonst hätte die Berufung auf ‚Interpretamente‘ alter Erfahrungen nur bestätigenden und hemmenden Einfluß auf unsere weitergehende Geschichte.

Was ist nun unsere moderne Erfahrungswelt? Gerade das moderne Lebensgefühl, vor allem das, worum es dem modernen Menschen heute geht, habe ich vor allem im vierten Teil meines zweiten Jesusbuches analysieren wollen. Ich habe die Aufmerksamkeit dabei auf zwei Kernpunkte konzentriert: einerseits auf unsere unausrottbare Erwartung einer menschlich lebbaren Zukunft, andererseits auf die genauso hartnäckige Angst von uns allen vor dieser Zukunft, weil wir dauernd mit dem brennenden Zuviel an Leiden so vieler Menschen und dem sinnlosen Unrecht konfrontiert werden, unter dem die übergroße Mehrheit der Menschen stöhnt. – Warum wird gerade in unserer Zeit diese erneute Erfahrung überall so schmerzlich erlebt?

Moderne Analysen haben deutlich gemacht, daß unsere westliche Gesellschaft in Wirklichkeit unter dem Banner des ‚utilitaristischen Individualismus‘ stand und steht. Diese Ansicht wurde in der Aufklärung zum erstenmal kraß formuliert von Thomas Hobbes, später abgeschwächt von John Locke (wodurch der Widerspruch zum christlichen Evangelium verschleiert wurde) und in ökonomischen Begriffen wiedergegeben von Adam Smith. Die Version Lockes ist die Seele der ganzen modernen westlichen Gesellschaft: ein neutraler Staat, in dem der einzelne Mensch die Maximalisierung eigener Interessen anstreben darf und kann; das Endprodukt wäre dann Wohlergehen, privat und öffentlich, für alle und jeden. Dieses Streben erfordert zwar eine gewisse Selbstkontrolle und eine gewisse Sittlichkeit, aber diese sind dann nur Mittel. In dieser Selbstkontrolle wurde auch die Religion hoch eingeschätzt, aber in Wirklichkeit diente sie nur als Mittel zur Maximalisierung dieses Eigeninteresses, das durch die harte Arbeit, durch Fleiß und Bürgertugenden zum Erfolg führen würde (der Nixon-Mythos). Auch Wissenschaft und Technologie wurden so Mittel zur Maximalisierung von Interessen. Der zentrale Wert dieses utilitaristischen Individualismus ist die Freiheit, aber der grundlegende Unterschied zwischen dieser Freiheit und dem biblischen Begriff von Freiheit – Freiheit von Sünde, von Egoismus und Habsucht; Freiheit, Gutes zu tun; solidarische Freiheit – wurde dabei sorgfältig beseitigt zum Vorteil einer ‚liberalen Freiheit‘, das heißt der Freiheit, ungehindert eigene Ziele und Interessen zu verfolgen. Dabei galt in Wirklichkeit das Gesetz des Stärkeren. Alles unterstand ihm, auch die Natur, die grenzenlos verschmutzt wurde, auch die sozialen und zwischenmenschlichen Beziehungen, sogar die persönlichen Empfindungen, die unter Kontrolle gehalten werden mußten, weil sie die Steigerung eigener Wohlfahrt und eigenen Interesses nur behindern konnten. Aber das Endziel, der Sinn der menschlichen Freiheit, wurde inhaltsleer, und die Rationalisierung der Mittel wurde zu einer Tretmühle, in Wirklichkeit zum Gegenteil dessen, was Freiheit bedeutet.

Die offiziellen Kirchen haben sich, oft unbewußt, mit dieser utilitaristisch-individualistischen Gesellschaft verbündet und deren bürgerliche Tugenden gepriesen. Aber gerade diese Gesellschaft hat in den sechziger Jahren plötzlich eine massive Kritik erfahren, sowohl von gesellschaftskritischen *revolutionären* Bewegungen als auch von gesellschaftsfliehenden (und darin auch gesellschaftskritischen) *neu-religiösen* Bewegungen. Alle Einrichtungen, die in Wirklichkeit mit dieser Gesellschaft eng verbunden waren, waren davon betroffen.

Ethische Proteste decken eine implizite Anthropologie auf. Die permanente Entwicklung von Wohlfahrt und Macht schien nicht mehr selbstverständlich ein Wert an sich zu sein. Es stellte sich die Frage, ob diese endlose Anhäufung von Macht und Reichtum nicht die Qualität und den Sinn des menschlichen Lebens zerstört – ökologisch, soziologisch und persönlich. So erhielten die Dinge und Beziehungen, die der instrumentalen Rationalisierung untergeordnet worden waren, plötzlich eine neue Bedeutung. Der Aufenthalt in der unberührten Natur, soziale Beziehungen und persönliche Empfindungen wurden als Ziele an sich neu geschätzt. Man will sie aus der repressiven Kontrolle der alles beherrschenden technologischen Vernunft im Dienst des utilitaristischen Individualismus befreien. Daß diese Reaktion auch mit Auswüchsen verbunden sein konnte, läßt sich nicht leugnen. Aber bevor man mit dem Finger auf diese Auswüchse zeigt, müßte man einen Blick haben für den *ethischen* Charakter dieses Protestes gegen Utilitarismus und Individualismus, der in all diesen Bewegungen zu finden ist. Fundamental geht es um ein neues ethisches Wertempfinden, das in seinem Kern auch biblisch ist, während ‚die Ethik‘ der herrschenden Gesellschaft ihrem Wesen nach unbiblisch, habgierig und das Gegenteil von Solidarität ist.

Was früher fast nur das Interesse religiöser Menschen zu haben schien, ist jetzt eine Angelegenheit verschiedener Humanwissenschaften, Techniken und Aktionen geworden: Alle streben sie nach Heilung, Heilmachung oder Heil des Menschen und seiner Gesellschaft. Man kann kaum leugnen, daß die Frage nach heiler und lebbarer Menschlichkeit, als Frage, mehr denn je in der ganzen Menschheit lebendig ist; und daß in unserer Zeit die Antwort darauf um so dringender wird, je mehr wir einerseits feststellen, daß Menschen versagen, zu kurz kommen und vor allem ausgebeutet werden und wir anderseits schon Bruchstücke menschlicher Heilung und Selbstbefreiung erfahren dürfen. Die Frage nach Heilwerden und nach lebbarer Menschlichkeit (die auch in ‚neureligiösen' Bewegungen wirksam ist) stellt sich ja in den tatsächlichen Situationen der Entwurzelung und Desintegration, der Entfremdung und der verschiedensten menschlichen Verletzungen. Die Frage nach Heil, früher nur das Thema aller Religionen, ist mehr denn je das große Stimulans oder das Ferment in der ganzen heutigen menschlichen Existenz, auch außerhalb aller Religiosität, geworden. Die Heilsfrage ist daher nicht nur religiös oder theologisch, sondern in unserer Zeit allgemein, auch bewußt, die große Triebfeder aller menschlichen Geschichte.

In diese neue Lebenswelt und diesen Fragenhorizont stelle ich dann die Frage nach dem besonderen Beitrag des Christentums. Denn neue Erfahrungen lassen uns das Christentum anders sehen, zumindest wenn es kein Relikt aus einer vergangenen Zeit werden will. Religionen, die nicht offen sind für neue Erfahrungen und sie nicht kritisch integrieren können, altern und können auf die Dauer absterben. Meine Absicht ist, aufzuzeigen, daß das Christentum nur dann glaubwürdig und verständlich wird, wenn und soweit es imstande ist, die Impulse der lebenden, kämpfenden und betenden Menschheit in sich aufzunehmen, darin Entsprechungen eigener christlicher Impulse zu erkennen und dann kritisch solidarisch mit ihnen zu sein aus dem christlichen Glauben, daß Gott kein Leiden von Menschen will; im Gegenteil, was wir heute als Heil von Gott her in Jesus erfahren, ist, daß Gott seine Ehre in das Heil von Menschen setzt. Was ist Heil von und für Menschen in unserem heutigen menschlichen Lebenskontext?

Wenn christliches Heil ein Heil von und für Menschen ist – Menschen mit Geist, Herz, Gemüt, Leiblichkeit, Menschen, die auf die Natur angewiesen sind, um ihre eigene Lebenswelt aufzubauen, und auch aufeinander angewiesen sind, um sich gegenseitig in Gerechtigkeit und Liebe zu bejahen und eine Gesellschaft aufzubauen, in der sie als Menschen menschlich leben können (siehe II, 715–724) –, dann bedeutet dies schon, daß christliches Heil nicht nur ‚Seelenheil' sein kann, sondern Heilung, Heilmachung des ganzen Menschen, des Individuums in all seinen Aspekten und der Gesellschaft, in der es lebt. Christliches Heil umfaßt also auch ökologische, gesellschaftliche und politische Aspekte, wenn es sich in ihnen auch nicht erschöpft. Zwar ist christliches Heil noch mehr, aber es *ist* auch dies! Im Lauf der Zeit haben Christen allzuoft menschenversklavende Situationen mit einer Berufung auf ‚allgemeines Wohl‘, auf Liebe und mystische und kontemplative Haltungen zugedeckt, in denen das Leiden durch Gottes mystische Gegenwart verblaßt. Letzteres mag wahr sein, es wird jedoch unchristlich, wenn damit das Unrecht anderer verfestigt wird, manchmal sogar mit theologischen Legitimationen. Selbst heute noch hören wir manche Christen proklamieren, christlicher Glaube sei bloß eine Sache des Herzens, eine persönliche Bekehrung und Jesus habe zwar zur Bekehrung des Herzens, zur Innerlichkeit, aber nicht zur Reform von menschenversklavenden Strukturen aufgerufen. Eine nähere Analyse der historischen Vermittlungen in der Schrift zeigt uns, daß diese Einseitigkeit unchristlich ist, sie ist nur die halbe biblische Wahrheit. Ein prägnantes Zeugnis dafür ist Lk 22,25: „Jesus sprach zu ihnen: Die Könige der Völker üben Herrschaft über sie aus, und ihre Machthaber lassen sich dann noch Wohltäter nennen. *So darf es bei euch nicht sein*“, und schärfer noch Mt 20,25–26: „Jesus sprach: Ihr wißt, daß die Herrscher der Völker sie mit eiserner Faust regieren und daß die Großen Mißbrauch ihrer Macht über sie treiben. *Das darf bei euch nicht der Fall sein*“ (siehe auch Mk 10,42–43). Schmerzliche Herr-Knecht-Verhältnisse darf es in den christlichen Gemeinden nicht geben. Das Neue Testament erkennt darin deutlich an, daß die Praxis des Reiches Gottes neben innerer Lebenserneuerung auch eine Erneuerung und Verbesserung der Gesellschaftsstrukturen in sich schließt. Die neutestamentlichen Christen verwirklichen dies denn auch auf dem Gebiet, auf dem sie es tatsächlich konnten, nämlich in der Struktur der eigenen Gemeinde, die daher als eine erste Realisierung des Reiches Gottes auf Erden erfahren wurde, als ein Lebensraum der Freiheit und des Friedens, der Gerechtigkeit und der Liebe. Angesichts der sozialen und politischen Verhältnisse konnten sie als Minderheitsgruppe außerhalb der eigenen Gemeinde damals wenig oder nichts tun; ihre Distanzierung von der sozialen Politik war keine innere Entscheidung, sie erfolgte unter äußerem Druck. Wenn dieser Druck aufhört oder, besser, wenn Christen mit anderen diese Gesellschaft verändern können, wird dies auch eine dringende christliche Pflicht, die aus dem Evangelium Christi hervorgeht.

Aus dieser Einsicht ergibt sich die gesellschaftspolitische Relevanz des Evangeliums. Die Politik wird dadurch zwar unter Kritik gestellt, in dem Sinn, daß die Identifizierung des Christen mit der Politik als totalem Heilssystem unchristlich ist. Das Christentum lehnt jede Verabsolutierung der Politik, ihre Ideologisierung, ab; aber anderseits radikalisiert es auch den politischen Einsatz für die Heilmachung von Mensch und Gesellschaft. Gerade diesem radikalen Einsatz für den Menschen und seine Gesellschaft ist eine besondere Gegenwart Gottes zugesagt. Denn wenn das fundamentale Symbol Gottes – ‚Bild Gottes‘ – der lebendige Mensch ist, dann ist der Ort, wo der Mensch entehrt, verletzt und geknechtet wird, sowohl im eigenen Herzen als auch in der Gesellschaft, zugleich der bevorzugte Ort, wo religiöse Erfahrung möglich wird *in und durch* eine Lebenspraxis, die diesem Symbol Gestalt geben, die heilmachen und befreiend zu sich selbst bringen will. Wirkliche Befreiung, Erlösung und Heil enden daher immer in Mystik, weil für den religiösen Menschen der allerletzte Grund und die Quelle der Heilwerdung und des Heils für Menschen, für Lebende und Tote, nur in Gott liegt. Seine Ehre ist das Heil des Menschen. Außerhalb von ihm können wir keine ‚begründete‘ Erwartung aufrechterhalten, denn die Geschichte kann uns keine Glaubensbriefe geben, es sei denn in der Geschichte Jesu des Christus.

Erst wenn jemand im Widerstand gegen Unrecht in all seinen Formen gerade deshalb von anderen zu leiden hat, kann er dies für andere tun: leiden für eine gute Sache. Dann ist der Einsatz für die gute Sache so radikal, daß die Konsequenzen für das eigene Leben nicht mehr wichtig sind. Gerade darin liegt auch der Heilswert des Todes Jesu; er weist auf die Radikalität seiner Botschaft und seiner entsprechenden Praxis, auf die Unabdingbarkeit seiner Gabe und seines Einsatzes: auf das Recht seiner ganzen Person, seiner Botschaft und seines Handelns.

B. DER FAKTISCHE VOLLZUG
DER KRITISCHEN KORRELATION

Wenn wir nun die beiden Pole der Korrelation kritisch betrachten, können wir folgendes sagen.

Im Neuen Testament wird die Geschichte Jesu erfahren als das strahlende und transformierende Symbol, das unserem Verständnis die Tiefendimension unseres endlichen Daseins erschließt. Was in den Worten und Taten Jesu, in seinem Leben und in seinem Tod ausgesagt wird, ist evokativ für unsere eigenen menschlichen Erfahrungen: Es erschließt unser eigenes Dasein, es erhellt, was wahres menschliches Leben sein kann, wenn es sich in der Hand des lebendigen Gottes geborgen weiß. Außerdem wird durch dieses ‚Einrasten‘ zwischen dem, was in Jesus ans Licht getreten ist, und dem, was Menschen in der Tiefe ihres alltäglichen Daseins erfahren, die christliche Sprache den Gläubigen gerade die menschliche Sinnwelt entscheidend und endgültig erschließen. Sie erkennen sich selbst in Jesus dem Herrn (wieder). Die umformende Kraft dieses eindrucksvollen Symbols ruft zugleich auch zu einem Bekehrungsglauben auf; mit anderen Worten, das ‚Einrasten‘ erfolgt nur in einer Metanoia oder Umkehr und nicht in einer glatten Korrelation.

Wenn Menschen also nach den besten Symbolen suchen, die auf die adäquateste Weise die Tiefendimension ihres Daseins zum Ausdruck bringen – was übrigens nur in Symbolen, Gleichnissen und Metaphern: in einer Geschichte, geschehen kann –, dann finden sie als Christen kein passenderes und treffenderes Symbol, kein ausdrucksvolleres Wort als das Wort Gottes: Jesus als das repräsentative und produktive Symbol der authentischsten Weise von Menschsein in einer Welt, die von Gott ist. Die adäquateste Erschließung der Tiefendimension, die in all unseren alltäglichen menschlichen Erfahrungen steckt – was mit Recht ein Urvertrauen oder ein Basisglaube genannt werden kann –, finden Christen in Jesus Christus. Gerade deshalb gehen in Jesus individuelle, historisch einzigartige Unreduzierbarkeit und menschliche Universalität Hand in Hand. Wie sich in einem einzigartigen, unreduzierbaren Liebesverhältnis zweier Menschen doch ein allgemeinmenschliches Geschehen vollzieht (die meisten Menschen machen eine solche Erfahrung), so offenbart das Unreduzierbare, historisch Konkrete Jesu auch etwas Allgemein-Menschliches. Die historische Partikularität hebt die Universalität nicht auf, sondern macht sie manifest. Daher konnte die Begegnung einiger Menschen mit Jesus eine Weltreligion werden mit einer Botschaft, die alle Menschen anzusprechen vermag.

Die Struktur des christlichen Glaubens erklärt also, daß die Wahrheit Jesu Christi, das, was die tiefsten Dimensionen unseres Daseins erschließt – unser praktisches Grundvertrauen und Gott als dessen Quelle –, von allen, Gebildeten und Ungebildeten, gehört werden kann, die vor der gleichen Lebensproblematik stehen. Man braucht kein Exeget zu sein, um ein guter Christ sein zu können, wie sehr diese Spezialistenfunktion auch zum Nutzen der Glaubensgemeinschaft notwendig ist. Die Auffassung, der menschliche Tiefensinn, der durch das Leben und den Tod Jesu exegesiert wird, sei nur in einem Kontext kritischen Denkens zu erfahren, beruht auf einem intellektualistischen Mißverständnis der Glaubenswirklichkeit. Verlangt werden nur ein offenes Auge und Ohr für die enge Verwandtschaft zwischen den Worten und Taten Jesu, seinem Leben und Tod *und* unserer eigenen Existenzerfahrung. Beidemal geht es um die gleichen Lebensprobleme. Leben und Tod Jesu können unsere eigene Existenzerfahrung erschließen und in einer solchen Weise kritisch ausdrücken, daß wir die wahrhaft menschlichen Lebensmöglichkeiten darin erkennen können. So leben heißt gut leben. Dann klickt es zwischen dem Leben Jesu und dem unseren. Dann erfolgt die Erschließung einer neuen, sich schenkenden 'Gerechtigkeit', die das Risiko einzugehen wagt, *auf der Grenze zu leben*, wo man in der Gegenwart des gnädigen und richtenden Gottes steht, wie er in Jesus Christus erschienen ist. Als Christen werden wir dann im Menschen Jesus *nicht nur* mit Gott als der Quelle unseres Daseins und als Heil *konfrontiert*, sondern wir wissen uns in ihm auch *von Gott angesprochen*. Sich aus unseren menschlichen Erfahrungen heraus für Jesus entscheiden wird schließlich erlebt als Erwähltwerden von Gott in Jesus, der mich ja mir selbst offenbart, indem er mir meinen Grund und mein Heil offenbart. Deshalb nennen Christen Jesus auch den entscheidenden und definitiven Exegeten Gottes, das Wort Gottes, und nicht nur den Exegeten unseres menschlichen Daseins: Gott als Heil von und für Menschen. Christentum hat also mit der Integration des Humanum in und durch eine Quellenerfahrung zu tun, in der man – in Konfrontation mit dem Menschen Jesus – die Welt, das Wir und das Ich darin mit dem absoluten Grund, dem lebendigen Gott, unserem Heil, verbindet.

Für den Christen, der im Licht der christlichen Erfahrungstradition mit seinen menschlichen ambivalenten Erfahrungen diese christliche Lebenserfahrung gemacht hat, ist das christliche Glaubens-Credo kein Suchprojekt mehr, sondern eine feste Lebensüberzeugung, die sich zu Mystik und entsprechender Lebenspraxis entwickeln wird. Aber auch dann wird er bereit sein müssen, „Verantwortung abzulegen von der Hoffnung, die in ihm lebt" (1 Petr 3,15b), und er wird außerdem bedenken müssen, daß, solange die Geschichte dauert, seine Erfahrungen sich noch als begrenzt erweisen und durch neue Erfahrungen herausgefordert werden. Bei aller Überzeugung bleibt er ein *offener* Jemand. Mit anderen Worten, die feste Überzeugung wird im Hinblick auf *neue* Erfahrungen immer wieder zum ‚Suchprojekt', das in und an den neuen Erfahrungen getestet werden wird.

Soteriologie, Christologie und Anthropologie lassen sich nicht voneinander trennen, sie machen einander verständlicher. Die Frage nach *christlicher Identität* hat wesentlich mit der Frage nach *menschlicher Integrität* zu tun; und diese Identitätsfrage kann nicht rein theoretisch gelöst werden, sondern verlangt wesentlich nach einer bestimmten – kontemplativen und politischen – Praxis. Gott und Christus müssen immer als unter der Frage nach unserer Praxis stehend gedacht werden.

Irenäus hat dies alles treffend formuliert: „Gloria Dei, vivens homo. Vita autem hominis, visio Dei" (*Adv. Haereses* IV, 20,7). Dieses patristische Zitat faßt genau den Inhalt dessen zusammen, was eine kritische Korrelation zwischen damaligen und heutigen Erfahrungen erreichen kann. Die Ehre Gottes liegt im Glück und in der Aufrichtung des Menschen, des niedrigen und erniedrigten; aber die Ehre und das Glück des Menschen liegen letztlich in Gott. Bei Irenäus erhält diese christliche Lebensüberzeugung innerhalb seines spätantiken Lebensgefühls selbstverständlich einen hellenistischen Klang, nach unserem Lebensgefühl zu formal und abstrakt. Die konkrete, historisch situierte – auf ein menschliches Fiasko hinauslaufende – Vermittlung Jesu von Nazaret steht in der Formulierung des Irenäus mehr formal als historisch-inhaltlich im Mittelpunkt. In meinen beiden Jesusbüchern habe ich versucht, das konkreter zu ergänzen, sowohl von einer mehr historisch orientierten Jesusforschung aus als auch, in Korrelation damit, von unseren heutigen Lebensproblemen aus: unserem Leben und Streben, unserem Leiden, Kämpfen und utopischem Träumen in einer als sehr real empfundenen Geschichte von Sinn und Sinnlosigkeit. Daraus dürfte deutlich geworden sein, daß der christliche Glaube an Jesus als den von Menschen hingerichteten, aber durch Gott von den Toten zum Leben erweckten ‚eschatologischen Propheten' des nahenden Reiches Gottes 1. primär ein gläubiges Bekenntnis des spezifisch auf diesen Jesus gerichteten Handelns Gottes ist: Gott zeigt sich solidarisch mit Jesus, dem von Menschen verworfenen und ausgestoßenen Propheten des Heils; er bestätigt dessen Lebensweise, endgültig; 2. daß der konsequente Glaube an Jesus als den auferstandenen Christus auch von uns eine Praxis gemäß dem Reich Gottes verlangt, nämlich a) in dem Bewußtsein, daß der, der diesen Auferstehungsglauben bekennt, es – in der Nachfolge Jesu – wagen muß, selbstlos-parteiisch für Unterdrückte und Erniedrigte einzutreten, b) einerseits wissend, daß auch er dann, wie Jesus, Gefahr läuft, selbst von ‚dieser Welt' unterdrückt und beseitigt zu werden, c) anderseits im Glauben davon überzeugt, daß auch er – darin ebenfalls Jesus nachfolgend – *von Gott* unwiderruflich *angenommen wird* (selbst wenn Staat und Kirche ihn nicht annehmen). „Wenn wir an seinem Leiden teilnehmen, damit wir auch an seiner Verherrlichung teilhaben" (Röm 8, 17). Das ist der neutestamentliche Gottesglaube, der allem weltlichen und kirchlichen Schein zum Trotz „die Welt besiegt" (1 Joh 5, 4).

V.

Fundamentale Diskussionspunkte

A. JESUS, DER MOSAISCH-MESSIANISCHE ‚ESCHATOLOGISCHE PROPHET‘

a) Eine der fundamentalen Thesen in ‚Jesus, die Geschichte von einem Lebenden‘ lautet, daß der eschatologische Prophet-wie-Mose mehr als wahrscheinlich die erste Jesus-Interpretation des vorneutestamentlichen Christentums gewesen ist und daß diese Tendenz in verschiedenen frühchristlichen Schichten noch aus dem Neuen Testament zu erkennen ist (I, 418–443; II, 282–291).

Dieser frühjüdische, zwischentestamentliche religiöse Begriff geht zurück auf eine ‚deuteronomische‘ Auffassung (Dtn 18,15–19; 30,15–20; 32,2). „Siehe, ich sende meinen Boten (angelos) vor dir her, dich zu behüten auf dem Wege und dich an die Stätte zu bringen, die ich bestimmt habe. Habe acht auf ihn und *höre auf sein Wort*. Denn in ihm *ist mein Name gegenwärtig*. Wenn du aber ernstlich auf ihn hörst und *alles tust, was ich befehle*, will ich der Feind deiner Feinde und der Bedränger deiner Bedränger sein. Mein Bote wird vor dir herziehen“ (Ex 23,20–23; siehe 33,2): „Einen Propheten wie mich (= Mose) wird dir Jahwe, dein Gott, erstehen lassen aus der Mitte deiner Brüder – *auf den sollt ihr hören!*“ (Dtn 18,15).

Die Tradition vom endzeitlichen Propheten war ursprünglich nicht mit einer Elija-Erwartung verbunden (Mal 3,23–24; siehe auch Sir 48,10–11); sie gehörte zu der Mosetradition, denn es ist deutlich, daß in Mal 3,23–24 der Vorläufer, Elija, eine sekundäre Eintragung ist (siehe Mal 3,1, das an den ursprünglichen Propheten-wie-Mose anknüpft). Im frühen Judentum erhielt die Elija-Gestalt die Funktion des Vorläufers des Gesalbten; diese sekundäre Tradition gründet aber auf einer älteren, deuteronomischen Überlieferung, nach der Mose ein Prophet, ein Wortverkündiger ist. Das Deuteronomium ist wesentlich als eine Rede des Mose komponiert (Dtn 5,1.5.14; 6,1). Mose ist Mittler zwischen Gott und dem Volk (Dtn 5,5); zugleich ist er ein leidender Mittler, denn außer daß er Fürsprecher für sein Volk ist (Dtn 9,15–19; 9,25–29), *leidet* Mose für sein Volk, für Israel (siehe Jer 1,37; 4,21–22). Deuteronomisch ist Mose der *leidende Prophet.* Spätere Propheten stellen sich deshalb gern mit den prophetischen Zügen des Mose dar (siehe Jer 1,7, zu vergleichen mit Ex 4,10; Jer 1,9, zu vergleichen mit Ex 18,18; Jer 15,1, wo Mose ausdrücklich genannt wird; siehe auch Elija und Elischa, 1 Kön 19,19–21; 2 Kön 2,1–15, zu vergleichen mit Dtn 34,9 und Num 27,15–23: das Mose-Josua-Duo). In dieser Tradition wird auch gesagt: „Wenn unter euch ein Prophet des Herrn ist, mache ich mich in Visionen bekannt und spreche zu ihm in Träumen. Mit meinem Diener Mose tue ich das nicht, er ist mein Vertrauter, in meinem ganzen Haus. Mit ihm spreche ich von Mund zu Mund" (Num 12,6–8), „wie ein Mensch mit einem geliebten Mitmenschen spricht" (Ex 33,11): „von Angesicht zu Angesicht" (Ex 33,10–11). Vom prophetischen Mose sagt diese Tradition auch, daß er „Ebed Jahwe" ist, Knecht Gottes (Ex 14,31; Num 12,7–8; Dtn 34,5; Jos 1,2.7; Weish 10,16; Jes 63,11). Zudem ist Mose ein leidender Ebed Jahwe; „der die Lasten des Volkes trägt" (Num 11,17; siehe Jes 53,4).

Mose, der leidende Gottesknecht und Prophet! Vielleicht können wir noch mehr sagen. Es ist wahrscheinlich, daß sogar das Motiv des ,leidenden Gerechten' (an sich ein eigenes Motiv) in Deuterojesaja mit dem Motiv des ,Mose als leidender prophetischer Gottesknecht' verschmolzen ist: Der deuterojesajanische leidende Gottesknecht (vor allem Jes 42,1–4; 49,1–6; 50,4–11 a; 52,13 – 53,12). Denn man darf in der jesajanischen *Endredaktion* den Proto-, Deutero- und Tritojesaja nicht wie zwei disparate Blöcke nebeneinanderstellen; ein Gesamtblick auf die Endredaktion ist notwendig. Der prophetisch-königliche Mose, der die Lasten seines Volkes trägt, *ist* dann der deuterojesajanische leidende Gottesknecht. Deuterojesaja hätte dann vom leidenden Gottesknecht in einer Terminologie gesprochen, die zumindest stark an das entstehende Bild des ,eschatologischen Propheten' wie und größer als Mose erinnert (II, 299–308). Wie Mose vermittelt er das Gesetz und das Recht (Jes 42,1–2), aber jetzt weltweit: Der leidende Ebed-wie-Mose ist „das Licht der Welt" (Jes 49,5–9; 42,1–6); er ist wie Mose Bundesmittler (Jes 42,6; 49,8), Führer des neuen Exodus, diesmal aus dem babylonischen Exil. Durch diesen Exodus werden die zwölf Stämme wieder versammelt (Jes 49,5–6; 40,3). Bei diesem Auszug wird der eschatologische Prophet-größer-als-Mose wieder Wasser aus dem Felsen schlagen und seinem Volk ‚lebendiges Wasser' anbieten (Jes 41,18; 43,20; 48,21; 49,10; siehe das Johannesevangelium!). Der leidende Gottesknecht ist der Mose des Neuen Exodus (Jes 43,16–21): der die Sünden sühnende, für sein Volk leidende, mosaische Gottesknecht, der in der Tat alle Züge der Gestalt trägt, die im frühen Judentum *inhaltlich* der messianische eschatologische Prophet-wie-Mose heißt. Außerdem wurde dieses Motiv (unmittelbar vor der Zeit Jesu) schließlich zu einer Mose-Mystik (auch ‚Sinaitismus' genannt) (siehe schon Sir 45,1–5): der königlich-messianische Prophet Mose, der ‚divus'!

Nun fällt auf, daß in den verschiedensten frühchristlichen Traditionen der Begriff ‚der mosaische eschatologische Prophet' deutlich nachweisbar ist: in dem ältesten (Markus) und dem letzten Evangelium (Johannes), in der lukanischen Stephanusrede, in der Q-Tradition (usw., usw.).

Mk 1,2 beginnt sein Evangelium mit einem impliziten Hinweis auf die klassischen Texte der Tradition des eschatologischen Propheten (Ex 23,20; Mal 3,1 und Jes 40,3): „Siehe, ich sende meinen Boten vor dir her" (Mk 1,2): ‚vor dir', das heißt vor Jesus, wird Johannes der Täufer hergesandt, der „den Propheten nach und größer als Mose" ankündigen soll: „einen Propheten *aus eurer Mitte und aus euren Brüdern*" (vgl. Dtn 18,15–18 mit Mk 6,4). In Mk 6,14–16 werden außerdem drei falsche prophetische Identifizierungen Jesu abgelehnt: – a) Jesus ist nicht der auferstandene Johannes der Täufer (Mk 6,10, dessen Leichnam ja in das Grab gelegt worden ist, Mk 6,29), – b) er ist ebensowenig Elija, der ja schon mit dem Täufer identifiziert ist (Mk 1,2 und 9,11–13), – c) schließlich ist Jesus auch nicht „ein Prophet wie die anderen" (Mk 6,15). Elija, dann Mose, dann Jesus (Mk 9,2–9), worauf wie von selbst folgt: „Auf ihn hört" (Mk 9,7, siehe Dtn 18,15 und Ex 23,20–23). In allen Evangelien finden wir das Motiv: Jesus ist Prophet, aber ‚nicht wie die anderen'. Nirgends polemisieren sie gegen die Auffassung von Jesus als dem Propheten: wohl gegen die Auffassung von einem Propheten *wie die anderen*. In unserer christlichen Verkündigung ist gerade diese ursprüngliche Auffassung von Jesus als Prophet, ein Begriff, der übrigens andere Hoheitstitel nicht überflüssig macht, fast verschwunden. Man kann Christus derart zu einer himmlischen Ikone machen, die man so weit weg auf die Seite Gottes gerückt hat, der selbst schon vorher aus der Menschenwelt verschwunden war, daß er als Prophet alle kritische Kraft in unserer Welt verliert.

Manche Kritiker glauben, der ‚eschatologische Prophet‘ (was keineswegs nur der ‚*letzte* Prophet‘ bedeutet) sei ein zu allgemein-christologischer Hoheitstitel und keinesfalls imstande, die anderen und vielleicht gewichtigeren neutestamentlichen Hoheitstitel zu stützen. Dann aber denkt man sehr gering über die Bedeutung von ‚eschatologisch‘! Der Begriff ‚eschatologischer Prophet‘ schließt (sicher im Neuen Testament) ein, daß dieser Prophet *weltgeschichtliche Bedeutung* hat, eine Bedeutung für die ganze weitergehende Geschichte, wie sich Jesus und die Seinen diese weitergehende Geschichte auch gedacht haben mögen. ‚Eschatologischer Prophet‘ will also sagen: ein Prophet, der den Anspruch erhebt, eine endgültige, für die ganze Geschichte geltende Botschaft zu bringen. Daß Jesus selbst davon überzeugt war, mehr noch: daß er seiner Person eine weltgeschichtliche Bedeutung zuerkennt, geht aus Texten der Q-Tradition hervor, wobei alle Garantie dafür besteht, daß wir darin ein historisches Echo des eigenen Selbstverständnisses Jesu vernehmen: „Gepriesen sei, wer an mir keinen Anstoß nimmt“ (Lk 7,23 = Mt 11,6), weiter ausgeführt in einem anderen Q-Text: „Ich sage euch, jeder, der mich vor den Menschen bekennt, den wird der Menschensohn als den Seinen bei Gottes Engeln erkennen. Aber wer mich vor den Menschen verleugnet, wird verleugnet werden vor Gottes Engeln“ (Lk 12,8 8–9 = Mt 10,32–33; vgl. Lk 7,18–22 = Mt 11,2–6; und Lk 11,20 = Mt 12,28), was dann bei den Synoptikern eine weitere Entwicklung erfährt (Mt 12,32; Lk 12,10; Mk 3,28–29). Die Bejahung einer realen Beziehung zwischen der Entscheidung, die Menschen gegenüber Jesus treffen, und ihrer endgültigen Schicksalsbestimmung (vom Johannesevangelium noch stärker betont) geht im Kern historisch zweifellos auf Jesu eigenes Selbstverständnis zurück. Die ersten Christen haben dieses Selbstverständnis, das sich im ganzen Auftreten Jesu äußerte, mit dem Begriff ‚eschatologischer Prophet‘ ausgedrückt: der Mittler beim Kommen des Reiches Gottes. Daß mit dem Kommen Jesu Gott selbst uns ganz nahe kommt, ist eine christliche Überzeugung, die daher letztlich auf das Selbstverständnis Jesu zurückgeht.

Wenn die Zukunft oder die historische Wirkung eines Menschen zu der Identität seiner Person gehört (I, 37–38), dann gilt dies in einzigartiger Weise von Jesus, denn die heute lebenden christlichen Gemeinden gehören nicht einfach historisch zufällig zu der vollkommenen Person-identität Jesu. In einem solchen Fall gehört die historische Wirkung einer Person in einer ganz besonderen Weise zu seiner Identität. Gerade das haben die ersten Christen mit dem Begriff ‚eschatologischer Prophet‘ ausgedrückt. Jesus weist in dem und durch das, was er ist, sagt und tut, über sich selbst hinaus auf die ganze und fortschreitende Geschichte der Menschheit als Kommen des Reiches Gottes.

Wenn man nicht auf Jesus vertraut, kann man natürlich immer be-haupten, Jesus habe sich in diesem Selbstverständnis geirrt oder über-schätzt. Es läßt sich historisch nachweisen, daß Jesus so gedacht hat, aber nicht, daß Jesus darin *recht* hatte. Das zu bekennen ist gerade der christliche Glaubensakt, der sich theoretisch-apodiktisch nicht näher vermitteln läßt. Nur durch die lebendige Praxis von Christen im Lauf der Zeit kann jedoch in etwa ‚gezeigt‘ werden, daß das befreiende und versöhnende Handeln der Kirchen, als „Dienst der Versöhnung" (2 Kor 5,19), kein zufälliges Geschehen ist, sondern geschichtliche Verwirklichung der Botschaft Jesu, der dadurch in der Geschichte et-was von seiner Wahrheit zeigt. Ein gerechter Jude, Gamaliel, hat es später im Zusammenhang mit der ersten Christenverfolgung sehr scharf formuliert: „Laßt ab von diesen Leuten und entlaßt sie; denn wenn dieses Werk von Menschen ist, wird es zerstört werden. Wenn es aber aus Gott ist, werdet ihr sie nicht vernichten können; ihr müßtet denn gegen Gott vorgehen wollen" (Apg 5,38–39). Auch dieser kluge Rat hat mit dem Gedanken des Propheten-größer-als-Mose zu tun: „Ich sende meinen Boten vor dir her … Sei nicht widerspenstig gegen ihn … denn in ihm ist mein Name gegenwärtig" (Ex 23,20–23; siehe 33,2).

Was sagen nun meine Kritiker zu dieser Darstellung der Dinge? Es ist auffallend, daß A. Descamps, der gerade auf den ganzen exegetischen Teil meines Buches ausführlich eingeht, überhaupt keine Kritik an der Bedeutung des eschatologischen Propheten in meinem ersten Jesus-buch äußert. Außer ein paar Theologen scheinen die Exegeten eher des-sen richtige Intention zu erkennen. Die wachsende Literatur (siehe II, 850, A. 8; II, 847, A. 117) über den eschatologischen Propheten als christlichen vorneutestamentlichen Hintergrund des Neuen Testa-ments fängt übrigens an zu einem Konsens zu werden. Die Diskussio-nen darüber betreffen nicht die Vorstellung vom eschatologischen

Propheten, sondern die Frage, wieweit dieser Gedanke in der vorchristlichen Zeit und zur Zeit Jesu allgemein verbreitet war, oder genauer, was der konkrete Inhalt dieser Vorstellung war. Dabei muß J. Nützel, der prononcierten Auffassungen wie denen von R. Pesch und Kl. Berger eher kritisch gegenübersteht, einräumen, daß die Erwartung nicht nur eschatologischer Propheten, sondern sogar *getöteter* und *„auferstandener"*, aber auf die Erde zurückkehrender eschatologischer Propheten zweifellos zur Zeit Jesu bestanden hat; auch wenn dieser Gedanke nicht allgemein verbreitet ist, so war er doch in Ägypten und in Kleinasien bekannt, allerdings nicht ohne palästinensische Quellen[1]. Doch scheint mir diese Diskussion zu sehr beeinflußt zu sein, einerseits von der Suche nach vollkommenen vorchristlichen Parallelen, anderseits von der unausgesprochenen apologetischen Furcht, das Modell des getöteten, aber vom Tod auferstandenen eschatologischen Propheten könne die Einzigartigkeit der Auferstehung und Himmelfahrt Jesu beeinträchtigen. In meinen Jesusbüchern tue ich weder das eine noch das andere, sondern suche nur *im* Neuen Testament nach den vorneutestamentlichen christlichen Benennungen Jesu, und daraus geht hervor, daß der Gedanke des ‚Propheten‘ und des ‚Kommenden‘ mit Sicherheit im Mittelpunkt gestanden hat[2]. Anders gesagt: In der exegetischen Literatur scheint sich ein zunehmender Konsens über eine ursprüngliche *palästinensische Prophet-Christologie* zu bilden. Die wirkliche Kritik betrifft daher nicht so sehr das Vorausgegangene als vielmehr das jetzt Folgende.

b) Denn ich sehe weiterhin den Begriff: mosaisch-messianischer ‚eschatologischer Prophet‘ als eine Matrix, aus der vier neutestamentliche Credo-Modelle entstanden sind, die später im Neuen Testament

---

[1] *J. Nützel*, Zum Schicksal der eschatologischen Propheten, in: Bibl. Zeitschrift 20 (1976) 59–94, in Zusammenhang mit *R. Pesch*, Zur Entstehung des Glaubens an die Auferstehung Jesu, in: Tübinger Theol. Quartalschrift 153 (1973) 201–228, der schon das später erschienene Buch von *Kl. Berger*, Die Auferstehung des Propheten und die Erhöhung des Menschensohnes (Göttingen 1976) benutzen konnte.
[2] Seit meinem ersten Jesusbuch sind, außer der Literatur, die in II, 850, A. 8 und II, 847, A. 117 zitiert wird, noch erschienen: *Fr. Schnider*, Jesus, der Prophet (Fribourg–Göttingen 1973); *F. Mußner*, Ursprünge und Entfaltung der neutestamentlichen Sohneschristologie, in: L. Scheffczyk (Hrsg.), Grundfragen der Christologie heute (Quaest. disp. 72) (Freiburg i. Br. 1975) 77–113.

unter dem alles verbindenden Motto der Paschachristologie zusammengeflossen sind. Diese sind:

1. Maranatha-Christologien, die Jesus als den Herrn der Zukunft, als den Kommenden, bekennen;

2. eine Christologie, die Jesus als ‚den Wundertäter‘ sieht, nicht so sehr in der Nachfolge der damals sporadischen ‚theios-anèr‘-Theorien, sondern eher in der des salomonischen guten und weisen Wundertäters, der nicht zum eigenen Vorteil, sondern um des Heils anderer willen Wunder wirkt und gerade deshalb getötet, aber von Gott ehrenvoll rehabilitiert wird;

3. Weisheitschristologien, die Jesus als von Gott durch die Weisheit gesandt (allgemein-sapiential) sehen oder als identifiziert mit der verselbständigten Weisheit, die Gottes Heilsgeheimnisse verkündet (hoch-sapiential);

4. schließlich verschiedene Formen von Paschachristologien, in denen vor allem der Tod und die Auferstehung Jesu im Mittelpunkt stehen (I, 357–388).

Jeder dieser vier Credo-Trends zeigt ein besonderes Interesse an bestimmten *historischen Aspekten* des Lebens Jesu: dem Verkünder der kommenden Herrschaft Gottes, deren Kehrseite das Endgericht ist; – Jesus, der Wohltaten spendend im Land Palästina umhergeht; – Jesus, der Gott dem Menschen und den Menschen sich selbst offenbart; – Jesus als der zum Tod Verurteilte. Daraus geht hervor, daß alle frühchristlichen Credos oder Auffassungen von Jesus sich in jedem Fall zutiefst von realen, historisch nachweisbaren Aspekten des Lebens Jesu leiten und normieren ließen. Gerade dieser Aspekt wurde von vielen Exegeten, die mein Buch besprochen haben, besonders begrüßt.

Daß diese vier Ansätze einer christologischen Interpretation des historischen ‚Phänomens Jesus‘ unter gegenseitiger Korrektur und Ergänzung in der einen kanonischen Schrift innerhalb der evangelischen und neutestamentlichen Grundauffassung vom auferstandenen Gekreuzigten zusammenfließen konnten, weist darauf hin, daß in all diesen Jesus-Interpretationen eine gemeinsame Personidentifikation vorhanden gewesen sein muß, die sich in vielen Richtungen entfalten ließ. Für mich heißt dies: Jesus ist der eschatologische Prophet, der in der prophetischen ‚Christus‘-Tradition interpretiert wurde als ‚der von Gott Inspirierte‘, der ‚von Gottes Geist Erfüllte‘, der ‚die frohe Botschaft bringt: Gott wird herrschen' (eine Verschmelzung von Dtn 18,15 mit deutero- und tritojesajanischen Texten im Judaismus), der eschatologische Prophet-größer-als-Mose, der „von Angesicht zu Angesicht", „von Mund zu Mund mit Gott spricht" (Num 12,6–8; Ex 33,10–11). Der Allerletzte, den Gott sendet, ist sein geliebter Sohn (Mk 12,6): Er ist der eschatologische Prophet, größer als Mose. Dieser Schlüsselbegriff, wie er durch das eigene Leben und den Tod Jesu faktisch gefüllt ist, ist tatsächlich imstande, alle anderen Hoheitstitel zu stützen und ihre tiefe Heilsbedeutung offenzulegen. Man kann sagen: Die Kontinuität zwischen Jesus vor und nach seinem Tod wird hergestellt durch die Anerkennung, daß Jesus der eschatologische Prophet ist, eine frühchristliche Interpretation des eigenen Selbstverständnisses Jesu.

An der These, daß der eschatologische Prophet die Grundlage bildet, auf der sich die anderen Hoheitstitel weiter entwickelt haben, ist einige Kritik geübt worden. Bevor ich darauf eingehe, muß ich ein fundamentaleres Mißverständnis klären. Denn Reaktionen anderer offenbaren oft am besten, was man selbst gemeint, jedoch nicht genau formuliert hat. Hier ist dies deutlich der Fall. Zwar nenne ich Jesus als eschatologischen Propheten das Band, das die vier Credo-Richtungen (es handelt sich um ‚Tendenzen') in der jungen Kirche zusammenhält, und nenne außerdem diese vorneutestamentliche Auffassung tatsächlich einmal „das Grundcredo allen Christentums" (I, 389), aber bei der Katalogisierung der vier vorneutestamentlichen Credo-Richtungen erwähne ich nicht das Credo von *Jesus, dem eschatologischen Propheten*. Darin lag für mich gerade beschlossen, daß der ‚eschatologische Prophet' an sich keine *Credo*-Richtung war. Dies also trotz meines einmaligen Gebrauchs von ‚Grund-Credo', das dann in dem gleichen Sinn gebraucht wurde, wie etwa E. Käsemann die Apokalyptik „die Mutter alles Christentums" genannt hat; ich spreche daher auch von ‚Matrix'. Gerade weil die Vermutung, daß Jesus der Kommende, der eschatologische Prophet sei, höchst wahrscheinlich schon vorösterlich besteht, spreche ich nicht von einem besonderen frühchristlichen *Credo* des eschatologischen Propheten. Das bedeutet also, daß dieser Begriff, besser diese untere Schicht der vier Credo-Richtungen, nachösterlich konkret immer durch eines der von mir genannten vier Credos gefüllt ist. Ich selbst bezeichne die Maranatha- oder Parusiechristologie als „höchst wahrscheinlich das älteste Glaubenscredo" (I, 350 und vor allem I, 359).

Meine These ist also (allerdings habe ich dies nicht genügend deutlich gemacht)[3], daß *nach dem Tod* Jesu seine Identifizierung mit dem eschatologischen Propheten unmittelbar die Form des *Parusiekerygmas* angenommen haben muß, das heißt, trotz dem Tod und dem augenscheinlichen Scheitern Jesu, des großen Herolds des kommenden Reiches Gottes, wird dieses Reich Gottes kommen. Ich selbst sage übrigens wiederholt, daß die Q-Tradition zwar keine Auferstehung kennt, aber unverkennbar einer Maranatha-Christologie anhängt (I, 363). Der Exeget A. Descamps nennt diese Auffassung, also die der Parusiechristologie des eschatologischen Propheten: die ‚Christologie *Dessen, der kommen wird*', als dem Auferstehungskerygma chronologisch vorausgehend, sogar „l'acquisition la plus nouvelle" meines ersten Jesusbuches, einen Gewinn, den er begrüßt[4].

Wenn man meine Absicht, die in der Redaktion des ersten Jesusbuches etwas undeutlich gelassen worden war, auf diese Weise expliziter ergänzt, bedeutet dies auch, daß der eschatologische Prophet Jesus *innerhalb* des Parusiekerygmas von mir die *Matrix* aller christologischen Hoheitstitel genannt wird. Dies kommt in meinem Buch bei näherem Zusehen tatsächlich nicht genügend scharf zum Ausdruck, lag aber in meiner Absicht. Daher könnte ich jetzt genauer sagen: *Die Parusiechristologie ist die Mutter allen Christentums:* Jesus ist ‚der Kommende'. Mit anderen Worten, die Mutter allen Christentums ist nicht die Apokalyptik als solche, sondern die Glaubensüberzeugung, daß trotz allem gegenteiligen Anschein das Reich Gottes dennoch kommt. Daher die Grundbitte des Christentums: „Dein Reich komme!" Mit dieser Klärung wird auch deutlicher, was ich gesagt habe (I, 350), nämlich daß die Verkünder dieser Parusiechristologie gleichsam spontan und von selbst ein von anderswoher kommendes und auch altchristliches Auferstehungskerygma aufgrund von ‚Erscheinungen'

---

[3] *P. Schoonenberg*, Schillebeeckx en de exegese, in: Tijdschrift voor Theologie 15 (1975) 258; in Anlehnung daran auch *L. Bakker*, Het oudtestamentisch tegoed van de christelijke theologie, in: Proef en Toets. Theologie als experiment (Amersfoort 1977) (86–102) 90.

[4] „Nous croyons cette thèse défendable, et ce sera peut-être là, – du moins pour un grand nombre, – l'acquisition la plus nouvelle de leur lecture de ce ‚Jezus'" (*A. Descamps*, Compte Rendu, in: Revue Théologique de Louvain 6 [1975] 220).

(die ich in meinem Buch historisch mit der zweiten Credo-Richtung – der Wohltäter, I, 378–379 – verbinde) als *Explizitmachung* des eigenen Parusiekerygmas erleben konnten und durften: ‚Der Kommende‘ lebt schon bei Gott, bereit, für unser Heil einzutreten. Die Parusiechristologie des eschatologischen Propheten steht ganz im Zeichen des von Jesus verkündeten *Reiches Gottes* und der vermittelnden Funktion Jesu bei diesem Kommen – und ist somit ‚weniger‘ auf die Person Jesu konzentriert als die explizite Auferstehungschristologie mit der aktuellen Herrschaft Jesu.

Diese Klärung ist schon eine erste Antwort auf andere Einwände, die mir gemacht worden sind, ich schriebe dem ‚eschatologischen Propheten‘ die Fähigkeit zu, alle weiteren christologischen Hoheitstitel zu verdeutlichen, so daß diese Hoheitstitel nur Varianten dessen seien, was implizit schon im Begriff ‚eschatologischer Prophet‘ beschlossen liege (I, 430–442). Doch sollte man dabei dann bedenken, daß eschatologische, prophetische Gestalten zur Zeit Jesu nicht so gering geachtet wurden, wie wir heute vielleicht annehmen, nämlich nur als ein ‚sehr großer‘ Prophet. Abgesehen davon – daß dieser Begriff ‚an sich‘ alle anderen Hoheitstitel auslösen kann, ist durchaus eine Hypothese, die jedoch auf einigen soliden Andeutungen gründet. Eine einlinige Entwicklung läßt sich aber kaum vertreten, und daher ist meine Behauptung, der eschatologische Prophet sei die ‚*Haupt*quelle‘ (I, 425) aller Hoheitstitel, noch verfrüht, zumindest *außerhalb* des Kontextes seiner Aufnahme in eine Parusiechristologie[5]. Denn die kritische Frage ist, ob Markus zwei unabhängige Traditionen zusammengebracht hat, wenn er Jesus als den Propheten-größer-als-alle-anderen mit Jesus als dem Sohn Gottes verbindet. Sicher ist, daß Markus gerade wegen der *eschatologischen* Qualifizierung Jesu als *der* Prophet, der von Gott her gesandt ist, Jesus gerade als den Sohn Gottes von anderen Propheten unterscheidet, wie Mk 12, 1–12 im Zusammenhang mit 11, 27–33 deutlich nahelegt: Alle Boten werden mißhandelt oder getötet; dann sandte der Herr des Weinbergs ‚ton eschaton‘, den allerletzten: „seinen geliebten Sohn“ (Mk 12,6). Haben wir es in Markus ursprünglich mit zwei unabhängigen Traditionen zu tun, oder konnte Markus aus dem *eschatologischen* Charakter dieses Propheten Jesus dessen Sohnschaft

---

[5] Diese Kritik äußerte *H. Berkhof*, Over Schillebeeckx‘ Jezusboek, in: Nederlands Theol. Tijdschrift 29 (1975) 322–331.

behaupten? Das muß näher untersucht werden. Da aber das besondere Sprechen von Gott als ‚Abba' eine zentrale und nicht zu bezweifelnde Wirklichkeit im Leben Jesu ist, läßt sich auch deren unvermeidliche Entsprechung, nämlich Jesu Bewußtsein, in einer besonderen Weise Sohn dieses Vaters zu sein, kaum leugnen. Auch wenn wir darüber kein ‚verbum ipsissimum Jesu' im Neuen Testament haben, muß doch Jesu Reden von seinem Vater zu anderen gleichzeitig doch etwas von seinem Selbstverständnis verraten haben! In diesem Sinn geht die christliche Bezeichnung Jesu als Sohn Gottes deutlich auf das Selbstverständnis Jesu zurück, was noch nicht bedeutet, daß Jesus sich selbst als den Sohn Gottes *verkündet* hat. Vor allem in II, 412–417 habe ich von verschiedenen Traditionen gesprochen, von denen aus Jesus der Sohn genannt wurde. Aber schon bekannte Titel wie Messias, Sohn Gottes, Knecht Gottes und ähnliche ließen sich damals auch leicht mit dem Begriff ‚der mosaische eschatologische Prophet' verbinden. Einstweilen wird man anerkennen müssen, daß sich die palästinensische Prophet-Christologie mit anderen urchristlichen Traditionen und ihren, zumindest für uns, stärkeren Hoheitstiteln verbunden hat. Diese sind also faktisch *nicht nur immanent* aus der Prophet-Christologie entwickelt, ohne daß man deren ‚Potentialität' leugnen könnte. Denn man darf nicht vergessen, daß gerade der ‚mosaische Prophet' innerlich in Zusammenhang mit der ‚Abba'-Erfahrung Jesu gebracht werden kann. Gott spricht mit seinem Diener Mose „von Mund zu Mund", „von Angesicht zu Angesicht" (Ex 33, 10–11; Num 12, 8), „wie ein Mensch mit einem geliebten Mitmenschen spricht" (Ex 33, 11), im Gegensatz zu seinem Sprechen in Gesichten zu anderen Propheten. Auch mit dieser Tradition wurde der aufkommende Gedanke von dem ‚Kommenden' (terminologisch identifiziert mit dem eschatologischen Propheten) in Zusammenhang gebracht. Die besondere Gotteserfahrung ist also auch in dem Begriff mosaischer ‚eschatologischer Prophet' zentral. Das ist auch der Grund, warum ich wegen der Kernidee ‚eschatologischer Prophet' im vierten Teil des Buches ‚Jesus, die Geschichte von einem Lebenden' die Abba-Erfahrung zum Ausgangspunkt der dort gegebenen, vorläufigen ‚Systematisierung' genommen habe (darüber weiter unten). Das Selbstverständnis Jesu von Gott als Vater scheint mir, zusammen mit seinem ganzen Lebenswerk, gerade die Quelle gewesen zu sein, durch die seine Jünger in ihm die Erscheinung des eschatologischen Propheten, der Lebende und Tote richten wird, erkannt haben.

B. KEINE UNTERBEWERTUNG
DER PASCHACHRISTOLOGIE

Im Gegensatz zum Exegeten A. Descamps, der zwar einige entschiedene *historische* Bedenken gegenüber meiner Interpretation des leeren Grabes und der Erscheinungen äußert, dabei aber wiederholt sagt, ich habe mit meiner Interpretation die Paschachristologie und somit den christlichen Glauben keineswegs reduziert[6], behaupten Theologen wie W. Löser[7] und etwas abgeschwächt W. Kasper[8], die Paschachristologie sei in meinem ersten Jesusbuch, gelinde gesagt, zu schmal und verzeichnet. Was sagt aber mein Text selbst?

Zunächst muß ich zugeben, daß ich selbst, zumindest in meinen ersten zwei niederländischen Auflagen, entgegen meiner eigenen Intention, tatsächlich Anlaß zu Mißverständnissen habe geben können. Als mir das klar wurde, habe ich sofort diese Mißverständnisse in einem Artikel ausgeräumt, der in *Kultuurleven* und später in *Tijdschrift voor Theologie* erschienen ist[9] und seiner Substanz nach dann von der dritten niederländischen Auflage an in das Buch selbst aufgenommen wurde. Bei allen Übersetzungen, also auch der deutschen, wurde er schon in die erste Auflage übernommen (‚Die innere Heilsbedeutung der Auferstehung Jesu‘, I, 571–576). Ich sehe den Einschub *als authentische Wiedergabe* dessen, was ich gemeint habe, also nicht als dessen Korrektur. Ich muß jedoch zugeben, daß in der Redaktion der ersten Auflagen die von mir dort gemachte Unterscheidung zwischen ‚Erscheinungen‘ (als Ausdruck der Ostererfahrung) und evangelischen ‚Berichten über Erscheinungen‘ nicht durch meine ganzen Texte hindurch konsequent durchgehalten worden ist. Die Folge war, daß ich den Eindruck erweckt habe, der Glaube an die Auferstehung *sei isoliert* von dem, was im Neuen Testament mit ‚Erscheinungen‘ gemeint ist. Dieses Mißverständnis (zu dem mein erster Text ein wenig Anlaß geben konnte) habe ich in I, 571–576 also ausdrücklich beseitigt: Das Auferstehungskerygma geht zwar den ergänzten Berichten von

---

[6] *A. Descamps*, in: Revue Théologique de Louvain 6 (1975) (212–223) 218, 220, 221; siehe auch *A. Descamps*, Résurrection de Jésus et ‚croyable disponible‘, in: Savoir, faire, espérer: les limites de la raison (Brüssel 1976) Bd. 2, 713–737.

[7] *W. Löser*, in: Theologie und Philosophie 51 (1976) (257–266), vor allem 264–266.

[8] *W. Kasper*, in: Evangelische Kommentare 9 (1976) (357–360) 360 A.

[9] Kultuurleven 42 (1975) 81–93; und: Tijdschrift voor Theologie 15 (1975) (1–24) 19–23.

‚Erscheinungen Jesu' voraus, aber es besteht im Neuen Testament anderseits ein nicht zu leugnender *innerer Zusammenhang* zwischen der Auferstehung Jesu und der christlichen Ostererfahrung, ausgedrückt in dem Modell der ‚Erscheinungen'. Daß gerade einige deutsche Rezensenten, die nur mit dieser (nicht korrigierenden, sondern klärenden) Version zu tun gehabt haben, meine These doch noch falsch interpretieren, ist mir ein Rätsel. Mit Recht sagt A. Descamps, daß die These, nach welcher die Tradition der Erscheinungen späteren Datums als der Glaube an die Auferstehung und der Auferstehungsglaube somit unabhängig von den ‚Erscheinungen' sei (das bedeutet für mich: was damit gemeint ist), *historisch* unhaltbar ist, mit anderen Worten, es steht historisch fest, daß die Erfahrung der Gegenwart des Auferstandenen chronologisch der weiteren Ausgestaltung des Osterkerygmas vorausgeht[10]. Aber gerade das ist meine These, was deutlicher aus dem Zusatz hervorgeht (I, 571–576), den Descamps, im Gegensatz zu einigen deutschen Rezensenten, nicht gekannt hat, als er seine Kritik schrieb.

Das Problem läuft für mich auf die Frage hinaus: ‚How do you know?', das heißt, wie kamen die ersten Christen zu dem Wissen, daß Jesus auferstanden war und nicht nur auferstehen wird am Ende der Zeiten? Die Auferstehung als nicht-empirisches Geschehen Jesu und mit Jesus selbst nach seinem Tod ist als solche transhistorisch, aber *der Glaube* an die Auferstehung Jesu ist ein Ereignis unserer Geschichte und in unserer Geschichte und als solches grundsätzlich einer historisch-genetischen Analyse zugänglich. Gerade sie habe ich unternehmen wollen. Meine These im ersten Jesusbuch heißt: Was auch immer der historische Wert des Motivs vom ‚leeren Grab' und der historische Wert des psychologischen Geschehens von Visionen (darauf komme ich noch zurück) ist, der Glaube an den auferstandenen, bei Gott und unter uns lebenden Jesus kann nicht auf ein leeres Grab *als solches gegründet sein* noch als solches auf *visuelle Elemente*, die es in ‚Erscheinungen' Jesu gegeben haben kann, was nicht per se die Negation einzuschließen braucht, daß sowohl das Grab als auch die Erschei-

---

[10] *Descamps*, a.a.O. 218; offensichtlich hat Descamps nicht die dritte, sondern die ersten zwei niederländischen Auflagen vor Augen; selbst dann fügt Descamps jedoch hinzu: „La thèse de l'auteur n'est pas incompatible avec la foi" (218). Sein ‚non liquet' (223) ist nur aus dem Mißverständnis begreiflich, das durch die ersten beiden niederländischen Auflagen hervorgerufen wurde.

nungsvisionen eine historische Wirklichkeit waren. Was sind dann die rekonstruierbaren Faktoren, als historische Vermittlung der Gnade des auferstandenen Jesus, welche die Jünger zu diesem Glauben gebracht haben? Ich sehe sie in einem Bekehrungsprozeß, bei dem das *kognitive* Element entscheidend ist; und nach dem Studium der Rezensionen sehe ich keinen Grund, meine diesbezügliche Meinung zu ändern. Das Neue Testament zeigt eine innere Verbindung zwischen dem christlichen Bekenntnis der wirklichen Auferstehung Jesu und dem, was in den Erscheinungsberichten eigentlich zur Sprache kommt. Mit anderen Worten, es besteht ein Zusammenhang nicht mit diesen *Berichten* als solchen, sondern mit dem, was damit gemeint ist. Denn es ist doch bemerkenswert, daß der verbale Inhalt derselben ,Erscheinungen', der von verschiedenen neutestamentlichen Autoren erzählt wird, gefüllt ist mit der jeweils eigenen Christologie und Ekklesiologie der Evangelisten und daß außerdem Paulus, der dieselbe klassische Terminologie gebraucht („ōphthē": Er hat sich zu sehen gegeben), *Jesus* überhaupt nicht gesehen hat: Er sah nur Licht und hörte eine Stimme (außerdem sagt diese Stimme in den drei Berichten, welche die Apostelgeschichte darüber gibt, jedesmal ganz andere Dinge, Apg 9; 22 und 26). Dies alles weist schon darauf hin, daß wir die Schrift nicht sagen lassen dürfen, was sie in Wirklichkeit nicht sagen will. Deshalb muß man zuerst genau feststellen, was das Neue Testament in jedem Fall positiv sagen will. Und das ist ohne Zweifel: – a) der Glaube an die Auferstehung ist keine Erfindung von Menschen, sondern eine Offenbarungsgnade Gottes in und durch Jesus selbst (Gal 1, 1.16; Mt 16, 16–18); – b) Diese Gnade ist kein plötzlicher ,Einfall von oben', also kein Hokuspokus, sondern ist wirksam in und durch psychische Realitäten und Erfahrungen von Menschen. Was auch immer mit Erscheinung gemeint ist, jedenfalls ist die Erfahrung einer ,Erscheinung' auch eine solche psychische Realität. Gerade deshalb sage ich, daß das, was mit Erscheinungen gemeint ist, nicht *ohne weiteres* bloß Frucht einer Reflexion der Jünger auf den *vorösterlichen* Jesus ist, obwohl diese Überlegung bei der Entstehungsgeschichte des Glaubens an die Auferstehung Jesu unvermeidlich eine wichtige Rolle spielt. In den Erscheinungsberichten wird der Gnadencharakter des Auferstehungsglaubens gleichsam in vertikaler Form dargestellt: Jesus selbst gibt seinen Jüngern zu verstehen, daß er der Lebende ist. Wie geschieht das? Hier darf die Forschung eines Gläubigen den Möglichkeiten Gottes keine Grenzen setzen, aber anderseits ebensowenig den biblischen Autoren naive Vorstellungen zuschieben. Daß es bestimmte Juden und Christen gegeben hat, welche die Auferstehung des *Leibes* der Auferstehung einer *Leiche* gleichsetzten, läßt sich nicht leugnen. Und die Entstehung des *Motivs* vom leeren Grab, oder – bei Historizität der Auffindung des leeren Grabes – die theologische Bedeutung, welche die Evangelisten daran knüpfen, hat zweifellos damit zu tun (vgl. Mk 6, 10 mit 6, 29!). Aber man kann keinen vernünftigen Glauben an die Auferstehung auf eine leer gefundene Grabhöhle gründen, wie sehr diese auch ein großartiges Symbol der Nicht-Anwesenheit Jesu unter den Toten, seiner Auferstehung, sein mag (I, 297–298)[11]. Man sucht den Lebenden nicht auf einem Friedhof.

Der Tod beendete die Lebensgemeinschaft der Jünger mit dem Jesus der Geschichte, was noch dadurch verstärkt wird, daß sie ihren Meister irgendwie im Stich ließen, das heißt, ihm nicht ‚nachgefolgt waren‘, während das doch *der* Auftrag jedes Jesusjüngers ist. Einige Zeit später verkündeten diese bestürzten Jünger jedoch, daß ihr toter Meister vom Tod auferstanden sei. Die Frage liegt dann nahe: Was ist in der Zeit zwischen dem Tod Jesu und dieser kirchlichen Verkündigung geschehen? Die Auferstehung selbst ist ein reales Geschehen, von Gott an Jesus vollzogen, aber ist als solches ein Geschehen über die Grenzen des Todes hinaus, und die Jünger haben dieses meta-historische Geschehen selbstverständlich nicht ‚erleben‘ können. Im Gegensatz zu manchen Apokryphen verzichtet das Neue Testament auf jeden Bericht über das Auferstehungsgeschehen selbst.

Wer zuerst an der Verhaftung und dem Tod Jesu Anstoß genommen hat und Jesus später als den einzigen und universalen Bringer von Heil verkündet, hat unverkennbar eine Wende durchgemacht: Er hat eine Umkehr erlebt; *das* ist doch eine historisch feststellbare Realität. Ein Bekehrungsprozeß – von Enttäuschung an Jesus zur Metanoia und Anerkennung, daß er tatsächlich der eschatologische Prophet, der Kommende war und ist, der Erlöser der Welt, der Christus, der Menschensohn und Sohn Gottes – muß also historisch akzeptiert werden, wenn diese Wendung der Jünger als historisches Faktum einigermaßen verständlich werden soll. Schon das Markusevangelium sieht einen

---

[11] Ich frage mich, welche Symboltheorie W. Kasper vertritt, wenn er seinerseits das Grab ein ‚reales Zeichen‘ für den Auferstehungsglauben nennen kann, während ich dasselbe mit dem Wort ‚Symbol‘ ausdrücke und Kasper ‚Symbol‘ dann von vornherein zu ‚bloßes Symbol‘ neutralisiert (a. a. O. 359 A).

Zusammenhang zwischen ‚Verleugnung‘ und ‚Jesuserscheinungen‘ (Mk 14,28 →14,29–31 →16,7). Es geht dabei keineswegs nur um die Reue, daß sie Jesus verlassen haben, denn Markus sagt von Petrus, daß er schon vor dem Tod Jesu darüber bitterlich weinte. Es geht um den Bekehrungsprozeß des *Christwerdens* im vollen Sinn des Wortes: darin liegt die Ostergnade. Und im ganzen Neuen Testament wird sie intensiv mit der *Bekehrung* verbunden, die in der christlichen Taufe ihre *leuchtende* Vollendung – ‚phōtismos‘, Taufe als Erleuchtung – findet. In diesem Prozeß spielen viele Faktoren eine Rolle: die produktive Erinnerung an die fundamentale Botschaft Jesu von einem auf Menschlichkeit bedachten, barmherzigen Gott, der seiner Liebe keine Bedingungen stellt; die Vermutung von einst, daß er der eschatologische Prophet sein muß; Nachdenken über das Schicksal des biblischen leidenden Gerechten und des leidenden Propheten usw. Würde Gott sich mit von Menschen Verstoßenen identifizieren? Das war doch der Kern der Botschaft und Lebenspraxis Jesu gewesen! Auch die jüdische Spiritualität, die von Jesus bestätigt und aus seinem innigen Umgang mit dem Vater intensiviert wird, sagt, daß Lebensgemeinschaft mit Gott stärker ist als der Tod. Dies alles ist zugleich ein *Gnaden*prozeß: Sie *erkennen* in Jesus den Christus und erfahren seine lebendige Gegenwart unter ihnen.

Außerdem gab es zur Zeit Jesu Modelle von Bekehrungsberichten: die Bekehrung eines Heiden zum Judentum wurde nicht selten nach dem Modell von ‚Erscheinungen‘ dargestellt, vor allem von Lichterscheinungen. Die Bekehrung erfolgt als eine Erleuchtung von oben. Schließlich erfahren die Jünger Jesu (und Petrus scheint historisch darin der erste gewesen zu sein) in sich selbst auch eine völlige Lebenserneuerung. Durch diese Lebenserneuerung und die Erfahrung der pneumatischen Gegenwart Jesu bekommen die Jünger einen Blick für das, was an Jesus selbst von Gott vollzogen worden ist: Gott hat ihn rehabilitiert durch dessen Auferstehung von den Toten. Er ist wirklich auferstanden. Die Auferstehung kann daher nicht sinnvoll *nur* als Bestätigung der Botschaft Jesu gedeutet werden. Semitisch werden prophetische Botschaften durch ihre Erfüllung bestätigt. Der Auferstehungsglaube, wie er im Neuen Testament berichtet wird, ist nur sinnvoll unter der Voraussetzung, daß man Jesus, in seiner Verkündigung und seinem Auftreten, beim Kommen des Reiches Gottes eine fundamentale Bedeutung zuschreibt; daß man ihm einen Platz einräumt, den er, trotz der Verwerfung durch Glaubensgenossen, immer einnehmen wird. Auferstehungsglaube hängt daher wesentlich mit dem Glauben an die bleibende konstitutive Bedeutung Jesu beim Kommen des Reiches Gottes zusammen; er findet darin seinen einzigen, hinreichenden Grund. Das ist der Kern der Parusiechristologie.

In den heutigen reformatorischen und, weniger deutlich, in manchen katholischen Veröffentlichungen herrscht die Tendenz vor, die Auferstehung Jesu mit der Lebenserneuerung und dem Glauben der Jünger Jesu und mit ihrer Verkündigung derselben zu *identifizieren*. In meinem Buch distanziere ich mich ganz von dieser Identifizierung. Aber bevor man dieser Richtung Einseitigkeit vorwirft, wird man erst fragen müssen, ob man darin nicht einen Wahrheitsaspekt findet, an dem andere zu Unrecht achtlos vorübergehen. Die Auferstehung wurde früher nicht selten als ein ,Geschehen für sich' gesehen, ohne jeden Heilsbezug auf uns Menschen. Sie wurde ,objektivistisch' dargestellt. Auf diesen empiristischen Objektivismus, durch den man die Auferstehung Jesu *außerhalb des Glaubensaktes*, und damit außerhalb einer Glaubenserfahrung, in den Blick bekommen soll, mußte es zu einer Reaktion kommen. Nach den Erscheinungsberichten ,erscheint' Jesus nicht ,der Welt' oder Ungläubigen, sondern nur *Gläubigen* (siehe auch Joh 14,19). Schon das muß uns zum Nachdenken bringen. Auferstehung und Auferstehungsglaube sind nicht identisch, aber man kann sie auch nicht trennen. Ich sage in meinem Buch: „Zumindest erwecken bestimmte exegetische Theologen den Eindruck, daß Auferstehung und Auferstehungsglaube *identisch* seien; mit anderen Worten, daß die Auferstehung nicht an der Person Jesu, sondern gleichsam nur an den gläubigen Jüngern vollzogen worden wäre. ,Auferstehung' ist dann eher ein symbolischer Ausdruck für die Lebenserneuerung der Jünger, wenn auch kraft ihrer Inspiration von seiten des irdischen Jesus" (I, 572). Über diese These sage ich ausdrücklich: „Aber diese Interpretation scheint mir sowohl dem Neuen Testament als auch den großen christlichen Traditionen fremd zu sein. *Von ihr distanziere ich mich gänzlich*" (a. a. O.). Nach dem Lesen dieser Sätze wagt W. Löser noch zu schreiben: „Ostererfahrung ist bei Schillebeeckx eine Erfahrung, deren ,Gegenstand' die Jünger selbst und ihr neuer Bewußtseinszustand nach Jesu Tod ist"[12], und nach

---

[12] *W. Löser*, a. a. O. 265.

meiner Darstellung soll die Ostererfahrung „nicht die Erfahrung eines neuen schöpferischen Handelns Gottes am gekreuzigten Jesus" sein (a. a. O.). Man reibt sich die Augen, wenn man das liest. Die Absicht meines Buches ist ja gerade, sowohl den objektiven als auch den subjektiven Aspekt des Auferstehungsglaubens gegenüber aller objektivistischen und subjektivistischen Einseitigkeit zu betonen, und zwar so, daß das ‚Objekt – die persönlich-leibliche Auferstehung und Erhöhung Jesu bei Gott – und das ‚Subjekt' – die Glaubenserfahrung, welche die Schrift im Bericht von den Erscheinungen ausdrückt – nicht voneinander getrennt werden können[13]. Ohne die christliche Glaubenserfahrung fehlt jedes Organ, das uns einen Blick auf die Auferstehung Jesu geben kann. Aber genauso umgekehrt: Ohne persönliche Auferstehung Jesu auch keine christliche österliche Glaubenserfahrung. Daß Jesus auferstanden ist, bedeutet daher nie ausschließlich, daß er durch Gott von den Toten auferweckt ist, sondern *zugleich* und ebenso wesentlich, daß Gott ihm in der Dimension unserer Geschichte eine Gemeinde oder Kirche schenkt. Es bedeutet zugleich, daß der erhöhte Jesus wirksam *bei uns gegenwärtig ist*. Daraus ergibt sich die Heilsbedeutung der Auferstehung Jesu für uns. Gerade durch die Erfahrung dieser erneuten Gegenwart *bei ihnen* erfuhren die Jünger, daß Jesus auferstanden ist. Auferstehung ist daher zugleich Geistsendung und Sammlung der verstreuten Jünger in dem Sinn von konkreter Kirchenbildung, Brüderschaft. Vom Vater aus ist Jesus auf eine neue Weise lebendig bei den Seinen anwesend. Gerade *in* der gläubigen Ostererfahrung (die neue Gegenwart Jesu und ihre Lebenserneuerung) wird zur Sprache gebracht, was Jesus selbst widerfahren ist: Auferstehung. Ich habe in meinem Buch daher die beiden Klippen, den Empirismus und den Fideismus, vermeiden wollen. Auferstehung und Heilsgegenwart Jesu mitten unter den Seinen auf Erden sind ein und dieselbe Wirklichkeit in verschiedenen Aspekten, so daß *in* der erfahrenen Heilsgegenwart das Auferstandensein Jesu offenkundig wird: sich vor den Augen von Gläubigen ‚zeigt'. Gerade diese Struktur kommt in den Erscheinungsberichten prägnant zum Ausdruck. „An jenem Tag (dem Ostertag) werdet ihr wissen, daß ich in meinem Vater

---

[13] In besonderer Weise hat auch *P. Schoonenberg* auf diesen wesentlichen Zusammenhang hingewiesen in: Wege nach Emmaus. Unser Glaube an die Auferstehung Jesu (Graz 1974).

bin und ihr in mir und ich in euch" (Joh 14,20; siehe 14,23b). Das Ostergeschehen ist für die Jünger die Taufe mit Heiligem Geist durch das Lamm – der ‚Prophet' –, das die Sünde der Welt hinwegnimmt, und zugleich werden dadurch die Jünger selbst in die Welt gesandt, um ‚den Dienst der Versöhnung' weiter fortzusetzen (‚die Erscheinungen' sind zugleich, und in ihrer heutigen Form sogar wesentlich, *Sendungsvisionen*). Wenn ich die Ostererfahrung einen Bekehrungsprozeß nenne, darf man dabei also den darin alles umfassenden *kognitiven* Aspekt nicht vergessen, nämlich die Erfahrung der *neuen* (pneumatischen) Gegenwart des auferstandenen Jesus in der wiederversammelten Gemeinde. Das ist für mich der Kernpunkt dieses ganzen Bekehrungsprozesses.

Es scheint mir klar zu sein, daß das Neue Testament, um diesen ganzen Erfahrungskomplex, die Frucht der Gnade Gottes im auferstandenen Jesus, zum Ausdruck zu bringen, ein bestehendes Bekehrungsmodell gebraucht, das mit ‚Erscheinungs'begriffen arbeitet. Nun muß man jedoch einräumen, daß die konstanten und stereotypen Elemente eines *Modells* nicht per se nur zum Modell gehören, sondern auch Teil der erzählten Ereignisse selbst sein können[14]. Anders gesagt: Die Existenz

---

[14] Darauf weisen zu Recht sowohl *A. Descamps*, a. a. O. 222 (Unterscheidung zwischen ‚Visionen' als literarischem Verfahren und als historisch-psychologischem Dokument). und *P. Schoonenberg*, in: Tijdschrift voor Theologie 15 (1975) 262,2, hin. Doch vergißt Descamps, dabei zu sagen, daß im *Evangelien*bericht von den ‚Erscheinungen' die psychische Struktur dessen, was biblisch eine *Vision* genannt wird, völlig fehlt: Von ekstatischen und eigentlichen visionären Elementen ist hier keine Rede. Der erscheinende Jesus wird als sprechend und sogar mit den Seinen essend dargestellt, als unter ihnen in der gleichen Weise anwesend, wie Petrus und die anderen zusammen sind – nur ‚etwas schwächer'! Die Berufung auf biblische *Visionen* scheint mir hier also weniger angebracht zu sein. Der Evangelienbericht liegt beispielsweise mehr auf der Linie des alttestamentlichen Erscheinens des Engels im Buch Tobit oder des Erscheinens der ‚drei Fremden' (drei und doch einer) vor Abraham. Es ist weniger eine ‚Christophanie' als eine ‚Christus-Epiphanie'. Doch muß ich zugeben, daß auch meine Interpretation des *visuellen* Moments in der (auch kognitiven) Bekehrungswandlung der Jünger, und somit als *Redundanz*-Aspekt eines kognitiven und emotiven Geschehens, eher in die Richtung des ‚Visionären' geht. Diese Auslegung wird daher dem besonderen literarischen Genus der vier Evangelien ebensowenig gerecht. Mir ist es denn auch eher um eine *theologische* Erhellung für Menschen unserer Zeit zu tun, durch die begreiflich gemacht wird, warum die ersten Christen das Modell alttestamentlicher Gottes- und Engelerscheinungen gewählt haben, um ihre Ostererfahrung zum Ausdruck zu bringen. Dabei will ich zugeben, daß dies nicht einmal ein *bloßes Modell* zu sein braucht, sondern auch ein historisches Geschehen implizieren kann. Doch weise ich dabei auf die (mir damals unbekannte) Analyse von *J. Lindblom*, Gesichte und Offenbarungen (Lund 1968) 66 (siehe auch: *A. Strobel*, Vision im NT, in: RGG³, VI, 1410–1412), aus der hervorgeht,

von völligen Übereinstimmungen etwa in der zwischentestamentlichen Literatur bedeutet nicht unbedingt, daß es sich dann im Neuen Testament um nicht-historische Elemente handelt, wenn auch solche Parallelen natürlich eine große Hilfe sein können bei der Interpretation der Besonderheit von Erfahrungen wie der von Erscheinungen, leerem Grab usw. In Anbetracht der Mentalität des Menschen in der antiken Kultur – und mit A. Descamps möchte ich hinzufügen: in Anbetracht von Gegebenheiten aus der Heilsgeschichte „von der Genesis bis zur Apokalypse" – scheint es mir nicht einmal notwendig zu sein, in dieser Ostererfahrung bei den ersten Christen visuelle Elemente zu leugnen. Die Ostergnade ergriff Herz und Sinne, und die Sinne durch Herz und Geist. Es würde tatsächlich von einseitigem Rationalismus zeugen, wollte man aus diesem Erfahrungsgeschehen alle emotionalen Aspekte entfernen. Nebenwirkungen, sogar visuelle Effekte scheinen mir für diese Menschen innerhalb ihrer Kultur naheliegend (das bestehende Modell selbst weist schon darauf hin; mit anderen Worten, auch die Modelle entstehen gewöhnlich erst aus bestimmten historischen Erfahrungen). Aber um diese visuellen Nebenerscheinungen geht es nicht: sie sind höchstens ein emotionsgeladenes *Zeichen* dessen, was ihnen wirklich überraschend widerfuhr: die Erfahrung der neuen *Heilsgegenwart* Jesu mitten unter den Seinen auf Erden. Es geht um das, was sich in dieser Erfahrung anmeldet. Aber ist die Erfahrung der Gegenwart des Herrn und somit die einzigartige Metanoia-Erfahrung, wie sie die Jünger nach dem Tod Jesu erfahren haben und aufgrund deren sie durch die Gnade zu Christen wurden, nicht per se auch ein sehr emoti-

---

daß auch im Neuen Testament das Visuelle nie Quelle des Kerygmas ist, sondern nur ein *Medium für* das Empfangen und Artikulieren einer Offenbarung. Im Johannesevangelium wird das gläubige *Sehen* sogar zu einer rein theologisch-reflexiven Kategorie. In diesem Licht ist auch die später erschienene Untersuchung von *Kl. Kienzler*, Logik der Auferstehung (Freiburg i. Br. 1976), der die Erscheinungen Jesu als *Selbstzeugnisse* interpretiert, ein wertvoller Beitrag: Welches ist die besondere Logik unseres Sprechens von der Auferstehung Christi? Für ihn ist dies ein performatives Zeugnis. Zwar werde ich den Nachdruck mehr auf den *Erfahrungsgrund* dieses Zeugnisses legen, aber Kienzler kommt doch dem, was ich sagen will, sehr nahe. – Historisch sicher scheint mir folgende Aussage: Kurz nach dem Tod Jesu behaupten einige Menschen, Jesus *gesehen zu haben*. Es besteht kein Grund, diese Behauptung in Zweifel zu ziehen. Doch besteht Grund dazu, kritisch zu untersuchen, was sie damit eigentlich gemeint haben – denn ‚Offenbarung', in Ausdrücken des ‚Sehens' artikuliert, ist eine fundamental biblische Gegebenheit, bei der immer wieder dem Kontext entsprechend festgestellt werden muß, was man genau mit diesem ‚Sehen' meint. Mehr will ich nicht sagen (vgl. jetzt auch *J. Lindblom*, a. a. O. 101–104, den ich nicht kannte, als ich mein erstes Jesusbuch schrieb).

ves, ,pathisches' Geschehen? Wenn irgendwo, dann fand hier ein unaussprechliches ,pati divina' statt, Grund für neue Gemeindebildung, durch den auferstandenen Jesus, der bei seinen von neuem versammelten Jüngern zugegen ist. Diese neue Sammlung der nach Jesu Tod zerstreuten Jünger *ist* die Frucht der neuen Gegenwart des jetzt verherrlichten Jesus. Das visuelle Element in dem, was die Ostererfahrung gewesen ist, erhält als *Element der Redundanz* eine prägnante Bedeutung, wenn man (wie ich in Kap. II, A oben schon gesagt habe) den *kognitiven* Aspekt im Bekehrungsprozeß hervorhebt, der in der christlichen Benennung oder Identifizierung Jesu impliziert ist. Um diesen kognitiven Aspekt im Bekehrungsprozeß war es mir in meinem ersten Jesusbuch zu tun; ich sage keineswegs, daß das, was das Neue Testament mit „Jesus sehen" meint, *gleich ist* mit dem Erwerben eines neuen Selbstverständnisses. Das erneuerte kognitive Moment samt seiner visuellen Redundanz ist intentional auf den gestorbenen, aber auferstandenen Jesus bezogen, und gerade darin ist zugleich eine Lebenserneuerung und ein neues Selbstverständnis mitgegeben.

Aus dieser allgemeinen Einsicht möchte ich nun einige Detailkritiken analysieren, denn bei diesem zentralen Thema scheint mir jedes Detail wichtig zu sein. In Frage kommen vor allem die Überlegungen von A. Descamps, dem Exegeten, der am ausführlichsten auf diese zentrale Frage meines ersten Jesusbuches eingegangen ist. Seine Kritik, die nur einige *historische* Aspekte betrifft, greift meine Grundthese nicht an. Im Gegenteil, es besteht sogar kein *wesentlicher* Unterschied zwischen seiner Exegese und der meinen, was den Inhalt der Erscheinungstexte betrifft. Er bejaht neben dem visionären Element ebenfalls die anderen wesentlichen Elemente in der Ostererfahrung, nämlich den Bekehrungsprozeß, die Erinnerungen an das irdische Lebenswerk Jesu, die Reue über ihr panikartiges Verhalten bei der Verhaftung und dem Tod Jesu, Vertrauen auf Gott als einen Gott der Lebenden, die Tradition des erniedrigten und erhöhten Propheten und schließlich die Rolle des Petrus bei der erneuten Sammlung der Jünger[15]. Der einzige Unterschied zwischen uns beiden liegt darin, daß Descamps als Exeget dem visuellen Aspekt im Ganzen dessen, was ich den Bekehrungspro-

---

[15] *A. Descamps*, a. a. O. 221–222.

zeß nenne, einen historisch genaueren Platz gibt als ich, obwohl auch er zugibt, daß sich in keinem einzigen ‚signum‘ – mögen dies nun das leere Grab, die Erscheinungen oder ein (kognitiver) Bekehrungsprozeß (meine These) sein – der auferstandene Christus „physisch gezeigt hat"[16]. Gerade darum war es mir zu tun. Das war der Grund, warum ich in meinem Buch absichtlich von möglichen visuellen Elementen im Bekehrungsprozeß oder in der Ostererfahrung geschwiegen habe. Meine Absicht dabei war, diesem visuellen Element die schwere dogmatische Bedeutung zu nehmen, die manche ihm beimessen, nämlich Grundlage des ganzen christlichen Glaubens zu sein[17]. Ich sehe jetzt ein, daß ich besser daran getan hätte, im Buch selbst dieses visuelle Element zu besprechen und dort schon auf seinen zwar historisch-psychologischen, aber zugleich seinen dogmatisch äußerst geringen Wert hinzuweisen. Descamps scheint aber etwas zu schnell anzunehmen, daß es zum Glück keine Gläubigen mehr gebe, für welche die *empirische* Feststellung eines *physisch gesehenen* Christus die Grundlage des christlichen Glaubens sei[18]. Denn was Descamps eine schon lange veraltete These nennt, ist für bestimmte Pamphlete zu meinem Jesusbuch gerade die sogenannte ‚christliche Norm‘ und Orthodoxie, von der aus mein Buch beurteilt wird.

Doch bleiben Unterschiede zwischen Descamps und mir. Für Descamps ist das visionäre Element das, was die Schrifttexte uns direkt zu lesen geben, während die Hypothese des (auch kognitiven) Bekehrungsprozesses für ihn eine begründete, richtige *Deduktion* ist, aber nicht unmittelbar erkennbar in den Schrifttexten. Historisch-litera-

---

[16] „En effet, du point de vue de la foi, ‚tombeau vide‘ et ‚apparitions‘ ne sont pas des signes d’un *tout* autre ordre que ‚expérience de conversion‘. Dans aucun de ces signes, le ressuscité n’est ‚montré‘ physiquement" (*Descamps*, a.a.O. 221).

[17] Als ich nach dem Erscheinen meines ersten Jesusbuches gefragt wurde, ob ich denn alle visuellen Elemente als historisch-psychologisches Geschehen in dem, was das Neue Testament ‚Jesuserscheinungen‘ nennt, leugne, habe ich dem sofort widersprochen, jedoch hinzugefügt, daß *dieses Visuelle* nicht die Grundlage des christlichen (Auferstehungs-)Glaubens sein kann (siehe: De Bazuin 58 [1975], 18. März, S. 2, und: *H. Kuitert – E. Schillebeeckx*, Jezus van Nazareth en het heil van de wereld [Baarn 1975] 51–52, der Bericht einer Fernsehdiskussion).

[18] Descamps sagt nach dem vorigen Text (Anm. 16): „A moins de supposer, – *comme on l’a fait souvent, mais plus guère aujourd’hui*, – que la vision du ressuscité fut, non pas un acte de foi, mais la perception d’une évidence expérimentale, auquel cas la résurrection serait, *non un dogme*, mais le *fondement* indiscutable du dogme‘ (a.a.O. 221). Mir ist es gerade um diese sogenannte veraltete – in Wirklichkeit virulent lebendige – These zu tun.

risch ist das Recht tatsächlich eher auf seiner Seite; aber *systematisch* macht dies für mich keinen Unterschied. Gerade darin zeigt sich ein legitimer Unterschied zwischen Exegeten und systematischen Theologen. Ich selbst gebe zu, daß im Neuen Testament tatsächlich von ‚Sehen' (Visionen, Erscheinungen) die Rede ist; man müßte blind sein, um das nicht zu erkennen. Auch gebe ich zu, daß, außer in den Berichten über die Bekehrung des Paulus, in den Evangeliumsberichten über die Erscheinungen vor Petrus und den anderen keine Bekehrungs*terminologie* zu finden ist. Doch gibt es einige Hinweise in dieser Richtung eben in den Texten (u. a. I, 344–346). Ich selbst möchte daher nicht von einer nur begründeten Deduktion sprechen, wie es Descamps tut, sondern von einem Echo eines ursprünglichen *Bekehrungs*geschehens, das im Prozeß der Entwicklung von Erscheinungs*berichten* zu ausdrücklichen *Sendungs*erscheinungen tatsächlich in den Hintergrund geraten ist. Man kann es in ganz analoger Weise vergleichen mit der Linie von Apg 9, Apg 22, Apg 26, worin nach dem Urteil mancher Exegeten ein *Bekehrungs*geschehen (Apg 9 und 22) umgeformt ist zu einem fast ausschließlichen *Sendungs*geschehen (Apg 26). Ich gebe zu, daß es gerade diese drei Berichte waren, die mich – auch hinsichtlich der Berichte von Erscheinungen vor Petrus und den Elfen – in der Richtung von ‚Erscheinungen' als *ursprünglich* stärker prononcierten Bekehrungsberichten suchen ließen, als in der biblischen Endredaktion deutlich wird. Zwar können die Akzente historisch vielleicht anders gesetzt werden, als ich es getan habe, aber *theologisch-systematisch* kann ich nicht einsehen, daß die Aussage meiner Bekehrungshypothese eine Minimalisierung der Paschachristologie in sich schließt. In dieser Hypothese geht übrigens die ganze Initiative vom auferstandenen Christus aus; siehe I, 573, wo die logische und ontologische Priorität der persönlich-leiblichen Auferstehung Jesu vor dem *Glauben an* die Auferstehung ausdrücklich bejaht ist. Zumindest Descamps wirft mir übrigens keineswegs eine solche Minimalisierung vor.

Außerdem fällt mir noch auf: Nach Descamps ist der Gewinn meines ersten Jesusbuches, daß dadurch deutlicher geworden ist, daß der allgemeine Gedanke vom ‚ewigen Leben' des Gekreuzigten zusammen mit der Überzeugung, daß dieser Gekreuzigte ‚mit Macht' sehr bald wiederkehren wird (Parusiechristologie des eschatologischen Propheten; siehe Apg 1,6), historisch tatsächlich der genauer präzisierten Vorstellung von der leiblichen Auferstehung Jesu vorausgegangen ist[19]. Das war in der Tat die These meines ersten Jesusbuches. Aber Descamps fügt sogleich hinzu, daß diese spätere Präzisierung *sehr bald* erfolgt ist, und zwar aufgrund der historischen Feststellung des leeren Grabes und der Erscheinungen. Ich habe keinen Grund, dem zu widersprechen, weil auch nach meinem Buch die Parusiechristologie *implizit* enthält, was die Auferstehungschristologie explizit artikuliert. In seiner Rekonstruktion meines Schemas sagt dieser Exeget, nach meinem Buch sei die Genesis des Auferstehungsglaubens so verlaufen: a) Nach dem Tod Jesu gab es die Erfahrung von Bekehrung zu der Anerkennung des gestorbenen Jesus als des Lebenden; b) darauf folgt dann die Identifizierung Jesu mit dem erniedrigten und erhöhten eschatologischen Propheten, worin noch unbestimmt der besondere Modus des Lebens Jesu nach dem Tod und seiner Erhöhung zum Ausdruck kommt; c) darauf folgen dann die vier urchristlichen Credo-Tendenzen (Descamps spricht von ‚Credos‘), von denen nur die vierte – die Paschachristologie, die auch meiner Ansicht nach die jüngste sei – zum erstenmal die genaue Vorstellung von Auferstehung präzisiert; d) erst später sei diese präzisierte Vorstellung in Bildern von ‚Erscheinungen‘ ausgedrückt und e) noch später Objekt der Erscheinungsberichte geworden, wie sie jetzt im Neuen Testament stehen, nämlich ‚anachronistisch‘ einige Tage nach dem Tod Jesu und in die darauffolgenden Tage gelegt[20]. Zwar erklärt Descamps, daß sich dieses Vorstellungsschema in und aus sich selbst ganz mit dem christlichen Glauben vereinbaren lasse, mit anderen Worten, daß Mäkeleien über ‚Häresie‘ oder ‚Orthodoxie‘ bei dieser Interpretation unangebracht seien, aber er bestreitet die historische Gültigkeit dieser Rekonstruktion, indem er hinzufügt, daß die Leugnung historischer Aspekte auf das christliche Glaubensverständnis Einfluß haben kann. Doch gibt er zu, daß bei Petrus, der in den ‚Erscheinungsberichten‘ die Hauptrolle spielt, der Glaube an den lebendigen Christus unter der Ebene des Glaubens an eine ‚physische Auferstehung‘ blieb[21]. Er leugnet nur, daß diese präzisere Vorstellung erst *nach einem langen Prozeß* aufgekommen sei, was ich übrigens nirgends sage.

In dieser ganzen Rekonstruktion der Darstellungsweise meines

---

[19] A. Descamps, a.a.O. 220.
[20] A.a.O. 220–221.
[21] „...en deça de l'idée précise de résurrection physique" (a.a.O. 221).

Buches kann ich mich aber nicht völlig wiedererkennen. Als abstrakte Schematisierung und somit ohne die von Descamps darin angebrachte chronologische Reihenfolge bin ich aber allgemein mit seiner Rekonstruktion einverstanden[22]. Descamps übersieht jedoch, daß dieses Schema für mich keine Entwicklung *einer* homogenen urchristlichen Gemeinde ist, sondern daß ich von ursprünglich verschiedenen Urgemeinden ausgehe, zumindest im Sinn frühchristlicher *Traditionen* aus verschiedenen Ecken Palästinas, wo Jesus überall gewesen war. Eine treffende Kritik müßte dann zunächst diese meine Voraussetzung angreifen. Gerade diesem Problem habe ich neben vielen anderen gelegentlichen Äußerungen darüber in meinem Buch im Hinblick auf die ,Ostererfahrung' sogar eine besondere Darlegung gewidmet (,,Doppeldeutigkeit des Wortes ,Ostererfahrung'", I, 346–351). Auch die Maranathachristologie ist eine eigene Ostererfahrung, wenn auch ohne expliziten Auferstehungsgedanken. Ich gebe zu, daß die Behauptung, es habe von Anfang an verschiedene ,christliche *Gemeinden*' gegeben und man könne deshalb nicht von der einen Jerusalemer Mutterkirche ausgehen, hypothetisch bleibt, zumindest für den Anfang des Christentums, aber daß hie und dort, an Orten, wo Jesus gewesen war, besondere Traditionen über Jesus entstanden sind, scheint sich historisch kaum leugnen zu lassen – und darum geht es hier im wesentlichen. Meine Auffassung vom Geschehen schließt also keineswegs aus (eher ein), daß in *bestimmten* urchristlichen Traditionen der Glaube an die Auferstehung Jesu der Ausgangspunkt der ganzen Entwicklung gewesen ist[23], während in anderen Traditionen der Glaube an den ,Kommenden' am Ursprung aller weiteren Entwicklungen gestanden hat, so daß hier die Auferstehung anfangs nicht Objekt der Verkündigung war. Die Auferstehung war in dieser Maranathachristologie zwar *im-*

---

[22] Aber vor allem bis auf b). Zwar geht Descamps in seiner gesamten Rezension nicht auf meinen grundlegenden Gedanken über den ,eschatologischen Propheten' ein (offensichtlich weil er damit einverstanden ist), doch verzeichnet er einigermaßen das Bild, weil sich nach meinen beiden Jesusbüchern die Vermutung, daß Jesus der eschatologische Prophet sei, schon als ,vorösterlich' gegeben erweist. Die Rekonstruktion meines Gedankengangs ist einwandfreier wiedergegeben von *L. Bakker*, Het oudtestamentisch tegoed van de christelijke theologie, in: Proef en Toets. Theologie als Experiment (KTHA, Amsterdam) (Amersfoort 1977) (86–102) vor allem 89–96.

[23] In einer Abhandlung, die erschien, als mein erstes Jesusbuch schon im Druck war, wird dies ausdrücklich dargelegt von *G. Schille*, Osterglaube, Stuttgart 1973, allerdings meines Erachtens systematisch überzogen.

pliziert, aber nicht *explizit vorausgesetzt*, wie viele unbegründet annehmen. Das ist der Grund, warum Vertreter einer Parusiechristologie, als sie mit andersgerichteten, nämlich expliziten Auferstehungstraditionen in Berührung kamen, in diesen spontan die eigene Glaubensauffassung erkennen konnten. Aber diese gegenseitige Beeinflussung verschiedener Traditionen war denn auch die Voraussetzung dafür, daß die Auferstehung allgemein als Verkündigungsobjekt proklamiert wurde (I, 350–351). Ich spreche also von einer allen urchristlichen Traditionen gemeinsamen ‚Ostererfahrung‘, leugne aber, daß das Artikulations- oder Interpretationselement in allen ursprünglichen Traditionen *dasselbe* war. So war beispielsweise die leibliche Auferstehung jüdisch und zwischentestamentlich nur *eine* mögliche Vorstellung des wirklichen Bei-Gott-Seins eines zum Tode gemarterten Propheten (I, 459–464). Was also Descamps in meinem Buch als eine chronologische Entwicklung innerhalb einer einzigen christlichen Gemeinde liest, sehe ich eher als das *Zusammenfließen* verschiedener ursprünglicher Traditionen unterschiedlicher Art, die sich aber chronologisch oft schwer rekonstruieren lassen. So ist das, was für die eine Tradition spätere Hinzufügung war, für eine andere Tradition viel älter. Eine genaue Rekonstruktion der Chronologie wird dann oft unmöglich und bleibt häufig fast hypothetisch. Das habe ich in meinem Buch schon vorab prinzipiell erklärt, nämlich im Zusammenhang mit der Frage nach ‚ipsissima verba et facta Jesu‘; denn was bei einem bestimmten Zeugen (etwa bei Markus) sekundär oder redaktionell ist, kann in anderen Traditionen ‚Jesus-echt‘ sein (I, 72–73).

Im Zusammenhang mit der Paschachristologie gibt es noch ein Thema, das ich bis jetzt, zumindest ausdrücklich, nicht genügend behandelt habe: die historisch reale Bedeutung dessen, was das Motiv des ‚leeren Grabes‘ genannt wird.

Auch der Exeget (oder der Theologe, der von allen Exegeten darauf am intensivsten eingeht) A. Descamps sagt mit Recht: „un cadavre disparu n'est pas un corps ressuscité"[24], „eine verschwundene Leiche ist noch kein auferstandener Leib" (allerdings ist dieser Ausdruck ohne die Erwähnung der leiblichen *Person* ein unerträglicher Dualismus). Mit anderen Worten, die ich selbst in meinem Buch gebraucht habe: Das historisch leer aufgefundene Grab kann nie das Fundament des

---

[24] *A. Descamps*, a.a.O. 218.

christlichen Auferstehungsglaubens sein. Es geht bei dem neutestamentlichen Problem des leeren Grabes also nicht direkt um Glaubensdinge, sondern um die Frage, was am Grab Jesu *historisch wirklich* geschehen ist. Ich selbst erkläre in meinem Buch, im Gegensatz zu einer bestimmten Tendenz in der Exegese, daß die Tradition des Grabmals eher eine sehr alte Tradition ist (I, 618, A. 32). Die *neutestamentliche* Relevanz dieser Erklärung darf nicht zu schnell geleugnet werden. Daß für mich, philosophisch, ein leeres Grab kein Beweis für eine Auferstehung ist, spielt in meiner Sicht des Neuen Testaments tatsächlich eine Rolle. Aber das ist keineswegs ein vorentscheidender Faktor; er lenkt allerdings die Untersuchung und die Interpretation. Dagegen kann man auch keinen Einwand erheben, solange man nicht aus diesem Vorverständnis heraus mit den Gegebenheiten des Bibeltextes willkürlich umgeht.

In meinem ersten Jesusbuch habe ich nach langem Zögern (siehe I, 618, A. 30) für eine bekannte Exegese optiert: die einer Kultlegende (Pilger reisen zum Grab eines verehrten ‚Heros‘, wofür es in der Antike unendlich viele Beispiele gibt) – mit Widerstreben, weil das von einigen modernen Exegeten angeführte Material mir unzureichend, zu späten Datums zu sein schien (allerdings will ich selbst jetzt diese Hypothese nicht völlig ausschließen). Bei meiner Interpretation spielte die philosophisch-theologische Auffassung, daß die Frage, ob das Grab Jesu leer war oder nicht[25], theologisch nicht relevant ist, eine gewisse Rolle. Aber aus dieser Nicht-Relevanz *für uns* schließen, daß das Grabmotiv daher auch für die ersten Christen ebensowenig Relevanz gehabt habe, scheint mir unverantwortlich zu sein. Die Hartnäckigkeit und das Alter des neutestamentlichen Grabmotivs widersprechen dieser Ansicht eindeutig. Deshalb habe ich in meinem ersten Jesusbuch nach der Art der Relevanz gefragt, die ein leeres Grab damals haben konnte. Ich fand zwei Elemente: a) eine *bestimmte* judaische Tradition, die eine leibliche Auferstehung oder Entrückung zu Gott aus damaligen an-

---

[25] Doch bleibt die historische Frage bestehen, ob Jesus in einem *Einzel*grab begraben gewesen sein konnte. Bei römischen Kreuzigungen ist das in der Regel ausgeschlossen, allerdings scheint es Ausnahmen gegeben zu haben. Die Initiative Josefs von Arimatäa, der Pilatus um den Leichnam Jesu bittet und ihn nach der synoptischen Tradition: Mk 15, 43–45; Mt 27, 58; Lk 23, 50–95, aber auch nach der johanneischen: Joh 19, 38 auch erhielt, besitzt doch Garantien für die Historizität, trotz Parallelen zu diesem Bericht in der damaligen Zeit.

thropologischen Gründen selbstverständlich mit ,dem Verschwinden der Leiche' verband; und b) die Möglichkeit einer Kultlegende um ein Grab, als plausible, aber (für den Fall Jesu) nicht wirklich fundierte Hypothese, während sich – in der Tat – wahrscheinlich noch andere, besser begründete Erklärungen finden lassen, die sich uns historisch noch entziehen.

Inzwischen ist eine Arbeit von John E. Alsup erschienen, die darüber *einige* Klarheit bringt, aber die exegetische Diskussion doch noch offen läßt[26]. Alsup gibt eine Texterklärung, die sich nicht auf eine Kultlegende zu berufen braucht. Das scheint mir der große Vorteil bei der besonderen Art der neutestamentlichen Texte zu sein. Durch seine Analyse wird noch deutlicher, daß das Grabmotiv tatsächlich sehr alt ist. Zugleich geht aber daraus hervor – und das ist das Neue –, daß dieses Motiv anfangs gerade nicht innerhalb eines Auferstehungskontextes eine Funktion hatte. Im Gegenteil, das leere Grab hatte nur negative Wirkungen: es führte nicht zu der triumphierenden Hoffnung auf Auferstehung, sondern zu Ratlosigkeit und Trauer. In seiner Arbeit fand Alsup drei Schichten in dem neutestamentlichen Grabmotiv. Bestimmte Teile des Johannestextes (Joh 20,1–2 und 20,11–13) liefern uns höchstwahrscheinlich die älteste Form des Grabmotivs (was auch mit den Feststellungen aus meinem zweiten Jesusbuch übereinstimmt, nämlich daß das Johannesevangelium für die letzten Jerusalemer Tage Jesu sogar zuverlässigere *historische* Elemente enthält als die Synoptiker). In dieser ältesten Form ist dieses Motiv nur verbunden mit Maria Magdalena und vielleicht anderen Frauen. Die synoptische Form desselben Berichts hätten wir dann in Mk 16,1–6.8, wo theologische Reflexion hinzugekommen ist. Und schließlich gibt es noch die auf Petrus orientierte Grabeserzählung (Joh 20,3–10 und Lk 24,12). Alsup sagt dann, daß ein Grabmotiv ohne Engel die älteste Gegebenheit der Tradition ist und daß gerade der Befund eines leeren Grabes keineswegs den Auferstehungsglauben auslöste, sondern im Gegenteil Angst. Das scheint historisch die erste ,Grabeserfahrung' gewesen zu sein. Diese alte Tradition wurde später in Erscheinungstraditionen *integriert*, nämlich durch Erscheinungen Jesu und nicht mehr eines Engels oder eines Jünglings vor Frauen (Mt 28,9–10). Lukas kennt die beiden Traditionen,

---

[26] *John E. Alsup*, The post-Resurrection Appearance Stories of the Gospel Tradition (Stuttgart 1975).

läßt sie aber unverbunden nebeneinanderstehen. Die Schlußfolgerung wäre dann: Die Erscheinungstradition ist *historisch unabhängig* von der Grabestradition und auch unabhängig von der Tradition des Osterkerygmas[27]. Mit anderen Worten, nach der Analyse Alsups läßt sich der Befund eines leeren Grabes, worauf auch Descamps insistiert[28], historisch kaum leugnen, aber *historisch* ist genauso evident, daß dieses Faktum keine entscheidende Bedeutung für die Entstehung des Auferstehungsglaubens gehabt hat. Das Auffinden eines leeren Grabes gewann diese Bedeutung nur durch die *Integration* in andere frühchristliche Traditionen. Diese Analyse läßt zwar vieles offen, zeigt jedoch, daß eine für uns theologisch nicht-relevante historische Gegebenheit trotzdem durch Integration in andere Traditionen für damalige Menschen durchaus eine besondere Bedeutung gehabt haben kann. Denn wenn auch die erste Reaktion Angst und Ratlosigkeit war, so darf man doch mit A. Descamps[29] sagen, daß diese Gegebenheit ein erster Schock gewesen ist, der zwar nicht zum Auferstehungsglauben geführt hat; aber dieser Schock wurde in Zusammenhang gebracht mit ursprünglich unabhängigen Erscheinungstraditionen (das ist die Verschärfung, die Alsup vorgenommen hat) und konnte damals von selbst als symbolische Stütze für den Auferstehungsglauben gelten, und zwar vor allem bei manchen Juden, für die eine leibliche Auferstehung mit dem Schicksal der Leiche selbst zu tun hatte. Nach einer anderen jüdischen Tradition war am Ende der Zeiten oder bei der allgemeinen Auferstehung der aus dem Himmel herabsteigende neue himmlische Leib das Gnadengeschenk der Heiligen[30].

Zur Abrundung meiner Antwort auf die sympathische kritische Besprechung des exegetischen Teils meines ersten Jesusbuches durch Descamps noch eine letzte Bemerkung. Zwar lobt er insgesamt sogar meine Detailexegese, doch meint er, meine Exegese sei zu sehr auf eine

---

[27] *J. Alsup*, a.a.O. 147.
[28] *A. Descamps*, a.a.O. 217–218.
[29] *A. Descamps*, a.a.O. 218.
[30] Vor allem die Bemerkungen Descamps' (a.a.O. 218) haben mir deutlich gemacht, daß ich den Bericht des Markus über das Begräbnis Jesu (Mk 15,38–47) zu sehr vernachlässigt habe; allerdings sagt dieser Exeget selbst, daß auch für ihn hier noch vieles hypothetisch bleibt (a.a.O. 218). Das *historische* Problem des Motivs des leeren Grabs scheint mir exegetisch daher bis jetzt nicht genügend endgültig geklärt, wenn auch jede weitere Klärung von dem historisch *sehr alten* Motiv dieser neutestamentlichen Tradition wird ausgehen müssen.

spätere, kommende theologische Systematisierung hin orientiert, mit anderen Worten, sie sei eine ‚engagierte Exegese‘[31], mehr noch: eine Exegese im Dienst einer schon vorausgesetzten Christologie[32], so daß der Theologe, „der sich zu Recht dem Magisterium des Exegeten nicht unterwerfen will", umgekehrt die Exegese dem Magisterium des Theologen unterwerfe! Darauf möchte ich zunächst antworten, daß dies in jedem Fall meiner ausdrücklichen *prinzipiellen* Programmerklärung widerspricht. Descamps fordert von einem Exegeten, daß er auf die Suche geht „sans savoir exactement où il aboutira"; nun, ich habe ausdrücklich erklärt, daß ich exegetisch auf die Suche gehen will, „ohne vorher zu wissen, wohin mich dies bringen würde" (I, 28) – genau das, was er von einer fairen Exegese fordert. Aber trotz feierlichen Grundsatzerklärungen kann jemand natürlich inkonsequent handeln. Aber dann trägt der Kläger die Beweislast. Ich konnte aber in Wirklichkeit kaum auf eine schon vorausgesetzte Christologie hinarbeiten, nämlich auf eine Parusiechristologie des eschatologischen Propheten (mein Standpunkt im ersten Jesusbuch), weil diese erst beim Ende der Arbeit deutlich wurde, und sogar noch mit einer gewissen Unbestimmtheit, von der das Buch noch Spuren zeigt. Aber als dieses Ergebnis einmal deutlich wurde, habe ich in der Endredaktion in die vorausgehenden Teile Einschübe eingearbeitet, als Präludium zur Schlußfolgerung, um dem Buch eine bessere innere Konstruktion zu geben. Das ist das gute Recht jeder Endredaktion, wobei sich der ‚ordo expositionis‘ von dem faktischen ‚ordo inventionis‘ unterscheidet. Solche allgemeinen Vorwürfe tragen durchweg nichts zur Sache bei. Außerdem vergißt Descamps eine fundamentale Gegebenheit, die ich explizit in I, 30–33 dargelegt habe; ich mache dort nämlich einen Unterschied zwischen literarkritischer Exegese und ‚theologischer‘ Exegese, die (sich der gesamten literarkritischen, wissenschaftlichen Methode bedienend) eigentlich auf der Suche ist nach Heilsmanifestationen Gottes (I, 32; siehe den ganzen Kontext). Ich sage nicht, daß Descamps als gläubiger Christ das gleiche letztlich nicht auch tut, aber dann gilt auch für ihn die kritische Frage, die er mir stellt und die zum Beispiel ein Rezensent an Descamps zurückgibt: „Descamps selbst ist auch abhängig von philosophischen und dogmatischen Voraussetzun-

---

[31] *A. Descamps*, a. a. O. 215–216.
[32] A. a. O.

gen."[33] Darum möchte ich – im Hinblick auf das sogenannte exegetische und theologische ‚Magisterium' – hinzufügen, daß, wie sehr auch die ‚theologische Exegese' auf faire literarwissenschaftliche Exegese angewiesen ist, sie dennoch jede Bevormundung der Wissenschaft als letzte Antwort ablehnt. Die Wissenschaft als solche kennt ja nicht die Kategorie eines Heilshandelns Gottes in unserer Geschichte; sie kann wohl feststellen, daß und wie *Menschen von Gott sprechen* und wie dieses Sprechen mitbestimmt wird durch ihre eigene Kultur. Ohne Gottes Möglichkeiten a priori menschlich einschränken zu wollen, kann daher eine heutige theologische Exegese zu anderen Schlußfolgerungen kommen als etwa jemand, der von einem anderen theologischen Standpunkt gegenüber Gottesmanifestationen dieselben literarischen Texte untersucht, während sie beide doch anerkennen müssen, was die Texte faktisch sagen und wie sie von Gott sprechen. In einer modernen *theologischen* Exegese spielen also – wie wäre es anders möglich? – zeitgenössische theologische Auffassungen eine besondere Rolle, wie dies zu allen Zeiten geschehen ist. Aber meines Erachtens ist dies wesentlich verschieden vom Gebrauch theologischer Handbücher der Exegese, der nur dazu dient, eine schon vorher festgelegte Christologie zu ‚illustrieren'. Ich weise daher Descamps' beiläufige Bemerkung, daß meine Exegese im Dienst *einer schon vorausgesetzten* Christologie stehe, entschieden zurück und kann persönlich bezeugen, daß gerade das offene Angehen einer Analyse der Entstehungstexte des Christentums mich zu der Formulierung einer christologischen Synthese führt, deren Umrisse ich jetzt selbst noch nicht ganz überblicke, geschweige denn, daß sie Voraussetzung meiner Exegese gewesen ist.

Ich möchte nun die Aufmerksamkeit von der eher positiven exegetischen Kritik auf die Kritik von Theologen lenken, die diesen zentralen Teil meines ersten Jesusbuches betrifft. Das bezieht sich vornehmlich auf W. Kasper und W. Löser. Vor allem bei Löser gilt die These, daß ich der Q-Tradition und der vormarkinischen Überlieferung den *Vorrang* gebe, um das Paschakerygma relativieren zu können (siehe das oben schon Gesagte). Diese Interpretation findet überhaupt keinen Grund in meinem Buch, wohl jedoch in den an sich legitimen Ängsten und Sorgen dieser Rezensenten, die offensichtlich um sich Christen se-

---

[33] *B. Lauret*, a. a. O., in: RSPT 61 (1977) 601.

hen, welche die Auferstehung Jesu leugnen und mit Jesus nur den ‚moralisierenden‘, das heißt gesellschaftskritischen Pfad gehen wollen[34]. Es hat einige Zeit gedauert, bevor mir klarwurde, wie es möglich ist, daß Theologen wie Löser und Kasper mein Buch gegen seine Tendenz lesen konnten. Der Grund ist der, daß sie es voreingenommen durch die Diskussion gelesen haben, die zu R. Pesch Ende 1973 in der ‚Tübinger Theologischen Quartalschrift‘ erschienen ist[35]; beide weisen auch darauf hin[36]. Keiner von beiden scheint auf die Idee gekommen zu sein, daß ich diese Beiträge noch nicht kennen konnte (daß sie von mir also auch nicht zitiert werden konnten; dieses Nicht-Zitieren nennt Kasper außerdem ‚erstaunlich‘!), weil sich mein erstes Jesusbuch damals schon im Druck befand. Diese Tübinger Diskussion hat also überhaupt keinen Einfluß auf mein erstes Jesusbuch gehabt, aber beide Rezensenten lesen mein Buch beeinflußt von dieser Diskussion und sind dadurch blind für das, was ich selbst sage, und somit für die wesentlichen Unterschiede zwischen R. Pesch und meinem Jesusbuch in diesen Fragen. Beide unterstellen mir nämlich, daß der Auferstehungsglaube *bloß Interpretation* des vorösterlichen Jesus sei. Daß dies, wie auch A. Descamps zugibt, bei der Entstehung des Auferstehungsglaubens eine große Rolle spielt, leugne ich keineswegs; ich lege darauf sogar sehr starken Nachdruck. Aber ich habe auch hinzugefügt, daß dies völlig ungenügend ist: Nach dem Tod Jesu muß es *neue* Erfahrungen, ja ein neues Angebot von Heil gegeben haben, um die Parusie- und Paschachristologie christlich begründen zu können (I, 572 f). Wie geht das mit dem zusammen, was W. Löser und W. Kasper mir unterstellen[37]? Ich kann dies nur von einer nicht einmal illegitimen Angst verstehen, aus

---

[34] Meine angebliche Reduktion des Paschakerygmas wird von *Löser* direkt in Zusammenhang gebracht mit „Moralisierung des Glaubens" (a.a.O. 264) und dem Satz: „Der handelnde Mensch hat nun das Heil, das ihm aus seiner Not heraushelfen soll, in Orthopraxis selbst herbeizuführen" (a.a.O. 264). Diese Auslegung grenzt ans Unglaubliche, in Anbetracht des Tenors sowohl meines ersten als auch meines zweiten Jesusbuches. Ein Pluralismus der Ängste? Zudem wird ‚Orthopraxis‘ hier offensichtlich mit ‚also ohne Gnade‘ identifiziert.

[35] Theologische Quartalschrift (Tübingen) 153 (1973) 201–228.

[36] *W. Kasper*, a.a.O. 359; *W. Löser*, a.a.O. 266.

[37] Kasper gibt im weiteren Verlauf zwar zu: „es handle sich vielmehr um ein *neues* und *anderes* Geschehen als bei seinem Leiden und Tod, um ein Geschehen, das eine völlig neue Existenzweise begründet, aufgrund derer Jesus endgültig mit Gott verbunden auf eine neue Weise bei uns ist" (a.a.O. 359 B), aber das hat offensichtlich überhaupt keine weiteren Konsequenzen für seine negative Bewertung.

der mein Buch unter dem zusätzlichen Einfluß mir fremder Tendenzen gelesen wird[38]. Außerdem hatte ich vorher schon dargelegt, daß und wie im neutestamentlichen ‚Euangelion'-Begriff sowohl die narratio des Lebenswerkes Jesu als auch das kirchliche österliche Kerygma einbegriffen sind (I, 95–101, vor allem 98). Darf ein Rezensent annehmen, daß ein Autor ständig von dem abweicht, was er explizit als Grundsatz für sich selbst aufgestellt hat, es sei denn, er kann auf faktische Inkonsequenzen hinweisen?

Es besteht aber noch ein anderes Mißverständnis. Man kann ‚Paschachristologie' nicht mit paulinischer Christologie gleichsetzen. An vielen Stellen wendet sich Paulus gegen eine ihm fremde Paschachristologie – eine Theologie von Christen, die glauben, daß mit der Auferstehung Jesu auch die Christen jetzt schon auferstanden seien und eschatologisch nichts mehr zu erwarten hätten (1 Kor 15, 12; sogar Paulus hätte Schwierigkeit mit Eph 2, 6 und Kol 1, 13) (I, 383–385; siehe II, 182–184). Und diese von Paulus bekämpften Paschachristologien sind offensichtlich keine späteren Auswüchse gewesen, sondern eine Strömung, mit der Paulus schon früh konfrontiert wurde. Gerade aus dem ganzen Kontext von 1 Kor 15, in den Paulus das vorpaulinische Auferstehungskerygma aufnimmt, geht hervor, daß er dieses Kerygma zum *Bestandteil* der *älteren Parusiechristologie* macht (1 Kor 15, 12–19; 15, 20–28 und vor allem 15, 23). Mehr noch, als einziger im ganzen Neuen Testament wagt er dazu zu sagen, daß letztlich sogar Jesus seine Herrschaft Gott zurückgegeben wird (1 Kor 15, 24–25; das hat aber für unsere irdische Geschichte als christliches Heil keine Konsequenzen, da das Niederlegen der Herrschaft Jesu ein endzeitliches Geschehen ist und daher nicht eine innergeschichtlich-vorläufige Bedeutung Jesu impliziert). Die These in meinem Buch heißt, daß weder die Q-Tradition, also eine Christologie, die keine Auferstehungschristologie kennen soll, sondern nur eine Parusiechristologie aufgrund der Botschaft und Lebenspraxis Jesu, noch eine Paschachristologie, die in einem Sinn interpretiert würde, in der Jesu eigene prophetische Botschaft, seine

---

[38] Dabei will ich nicht einmal die Fruchtbarkeit von Thesen wie denen von R. Pesch für das vorliegende Problem leugnen; meines Erachtens sind sie, falls sie kritisch verstanden werden, ein *wesentlicher Bestandteil* dessen, was ich in meinem Buch die *Ostererfahrung* nenne. Ich selbst weise darauf hin, daß die Interpretation des irdischen Lebenswerkes Jesu ein wesentliches Moment der Ostererfahrung ist (I, 346–348), aber daß die Ostererfahrung *mehr umfaßt*.

Machttaten und seine Lebenspraxis keine *dogmatische* Bedeutung hätten, in Wirklichkeit kanonisch sind (I, 386; siehe I, 568–571). Der tatsächliche Kanon umfaßt *viele* urchristliche Strömungen, die ich in vier tendentielle Credos zusammengefaßt habe, und in diesen Strömungen sind sowohl Botschaft, Logien, Machttaten und Lebenspraxis Jesu als auch sein Tod und die Gemeindeerfahrungen nach seinem Tod (thematisiert in der Parusie- und Paschachristologie) wesentlich. Botschaft und Lebenspraxis Jesu ohne Parusie- oder Paschachristologie sind der soundsovielte Exponent einer erschlagenen Utopie in der Menschheit ohne weitere hoffnungsvolle Perspektive, so sage ich ausdrücklich I, 570 und II, 828, aber anderseits ist eine Paschachristologie losgelöst von dieser Botschaft und Lebenspraxis ein Mythos (I, 569–570; I, 386; siehe I, 46 und I, 357 ff. usw.). Der biblische Kanon hat eine Synthese vorgenommen, und sie ist die Norm jeder christlichen Theologie. Es geht hier keineswegs um einen Vorrang ‚Jesu von Nazaret‘ vor dem ‚österlichen Christus‘, das ist ein Gegensatz, der mir fremd ist. Wohl aber geht es um die historische Tatsache, daß ‚Paschachristologie‘ von Jesus von Nazaret ausgesagt wird, also von diesem Menschen mit dieser Botschaft und dieser bestimmten Lebenspraxis und diesem Tod – und nicht von einem Herrn X. Gerade die Herauslösung der Paschachristologie aus der konkreten Welt, in der dieses Credo entstanden ist (nämlich Jesu Lebenswerk und die alttestamentliche Erwartung des Reiches Gottes, wobei eschatologische Gestalten vermitteln sollen), hat im Lauf der Jahrhunderte die kritische Kraft des Christentums neutralisiert und konnte es zum Bundesgenossen ‚der Mächte dieser Welt‘ machen. Auf diese Gefahr weise ich tatsächlich nachdrücklich hin. Aber ich frage mich, wo sich in meinem Buch eine Reduktion des Ostermysteriums[39] findet, da ich gerade diese Paschachristologie innerlich mit dem verbinden will, was Jesus historisch wirklich gewesen ist, gesagt und getan hat!

Kasper und Löser wollen letztlich (Kasper offensichtlich im Gegensatz zu eigenen anderen Publikationen) eine ‚*formalisierte*‘ Paschachristologie – mehr bultmannianisch, als sie selbst wollen. Aber eine – sei es religiöse, sei es politisierte – *formalisierte* Paschachristologie ist dem Neuen Testament fremd.

---

[39] So *W. Löser*, a. a. O. 264.

a) Mißverständnisse über ‚first‘ und ‚second order‘- Glaubensaussagen

Einige Rezensenten haben Einwände gegen diese Terminologie geäußert (I, 482–486)[40]. Zunächst muß ich sagen, daß diese Unterscheidung nichts zu tun hat mit der dreifachen Unterscheidung, die ich an anderer Stelle mache, nämlich zwischen Tatsachengeschichte, konjunktureller und strukturaler Geschichte (I, 510–516). Oben, im Zusammenhang mit dem Abschnitt Erfahrung und Interpretation, habe ich den Kontext, in dem man diese linguistische Unterscheidung lesen muß, schon dargelegt. Diese Terminologie hat bei einigen zu Unrecht den Eindruck erweckt, ‚second order‘-Aussagen hätten somit im Werturteil die Bedeutung von ‚zweitrangig‘. Diese Auslegung habe ich ausdrücklich verhindern wollen, denn ich sage: „ohne daß damit Glaubensaussagen ‚zweiten Ranges‘ gemeint sind" (I, 485); aber trotzdem wird es, *pour le besoin de la cause*, doch anders interpretiert. Deshalb habe ich diese Terminologie meines ersten Jesusbuches im zweiten Buch weggelassen, wenn ich dort ausführlicher auf Erfahrung und Interpretationen eingehe (II, 24–71). Die Folgerungen, die vor allem W. Löser und W. Kasper aus dieser Terminologie ziehen, finden in meinem Buch kein einziges Fundament. Ihre falsche Interpretation hängt daher wesentlich mit ihrem schon falschen Verständnis dessen zusammen, was ich Paschachristologie nenne (siehe oben). Denn in der Tat, wenn diese *allein* eine gläubige Interpretation des Lebenswerkes Jesu[41] und nicht auch begründet ist in spezifisch-neuen Erfahrungen nach dem Tod Jesu (nämlich in der Glaubenserfahrung der lebendigen Gegenwart des auferstandenen Jesus in der Gemeinde, als dem kognitiven Kern dessen, was ich Ostererfahrung als Bekehrungsprozeß nenne), werden alle Glaubensaussagen, die ich ‚second order-Aussagen‘ nenne, durchaus

---

[40] Vor allem W. *Löser*, a.a.O. 263; W. *Kasper*, a.a.O. 358 B, und in geringerem Maße A. *Weiser*, in: Lebendiges Zeugnis 31 (1976) (73–85) 82f.; W. *Breuning*, in: Theologische Revue 73 (1977) (89–95) 91–92, und L. *Renwart*, in: Nouvelle Revue Théologique 109 (1977) 224–229.

[41] So W. *Kasper*: „Die eigentliche Ostererfahrung besteht in der Erkenntnis und Anerkenntnis der Gesamtheit des Lebens Jesu als Offenbarung Gottes" (a.a.O. 359). Für mich (siehe oben) ist dies zwar ein wesentlicher Aspekt der Ostererfahrung, aber nicht der einzige.

auch im Wert zweitrangig. Aber in meinem Buch hat die Erfahrung der verherrlichten Gegenwart Jesu in der Gemeinde – eine *eigene Struktur*, die nicht identisch ist mit der Struktur der gläubigen Interpretation des Lebenswerkes Jesu (siehe oben). Aber anderseits kann diese Besonderheit auch nicht verständlich sein, wenn sie von der Erinnerung an den interpretativ erfahrenden Umgang der Jünger mit dem vorösterlichen Jesus losgelöst wird. Trotz der besonderen Struktur der Ostererfahrung kann man diese doch nicht als eine adäquate verschiedene *zweite Quelle* gläubiger Jesuserkenntnis verselbständigen, als wären die ‚narratio‘ des irdischen Lebenswerkes Jesu und die Ostererfahrung eine *zweifache* Quelle der Glaubenserkenntnis. Gerade *das* scheint mir in der erst nach meinem ersten Jesusbuch erschienenen ‚Tübinger Diskussion‘ der Wahrheits*kern* zu sein, der in der These R. Peschs steckt und den man daher anerkennen sollte. Denn mit einer adäquaten Trennung beider steht man eigentlich schon auf der Linie der von mir bekämpften ‚formalisierten‘ Kerygmachristologie, bei der die ‚narratio‘ oder die Anamnese des prophetischen Lebenswerkes Jesu wie von selbst in den Hintergrund gedrängt wird und eigentlich nicht mehr so wichtig ist. Gerade wegen der Besonderheit und doch wesentlichen inneren Verbundenheit der sogenannten ‚zwei Quellen‘ gläubiger Jesuserkenntnis, mit anderen Worten wegen der einzigartigen Struktur des Glaubens an den *irdischen Jesus*, der bezeugt wird als der *kommende*, aber vom Tod *schon auferstandene, verherrlichte Jesus*, kann die Anwendung der sprachanalytischen Terminologie von ‚first‘ und ‚second order‘-Aussagen tatsächlich mißverstanden werden, zumindest *wenn* man dabei nicht immer wieder die einzigartige Glaubensstruktur bedenkt. Aber in dem Kapitel, in dem ich diese Terminologie gebrauche (I, 482–486), gehe ich von der ‚Identifizierung der Person Jesu‘ aus (I, 485), die daher die Ostererfahrung schon impliziert. Darauf sage ich dann, daß die Identifizierung einer Person „intensiviert werden kann“ (I, 485) und „in dieser zweiten Reflexion treten eigentlich keine völlig *neuen* Einsichten ans Licht“ (a. a. O.). *Erst danach* spreche ich von dem Unterschied zwischen ‚first‘ und ‚second order‘-Glaubensaussagen. Mit anderen Worten, die minimalen österlichen Glaubensaussagen – in historisch-genetischer Hinsicht die Parusiechristologie, der in kleinem Abstand das Auferstehungskerygma folgt – gehören meines Erachtens durchaus zum Bereich der ‚first order‘-Glaubensaussagen. Die ganze Analyse des Todes und der Auferstehung Jesu geht zudem in meinem

Buch dem Kapitel voraus, in dem ich auf eine Theologie ‚zweiten Grades' zu sprechen komme (I, 482). Sporadische und oft resümierende Aussagen über ein bestimmtes Thema müssen im Licht der zentralen Aussagen darüber gelesen werden. Deshalb: Mit ‚Theo-logie Jesu', als Grundlage einer Christologie, ist in meinem Buch deutlich gemeint: die Anerkennung des Kommens des Reiches Gottes in den Worten und Taten Jesu, wie er in und durch die Ostererfahrung zum ausdrücklichen Bewußtsein gekommen ist. Demgegenüber spreche ich von Christologie im Sinn von ‚Theologie zweiten Grades', bei der die Aufmerksamkeit für das Reich Gottes umgebogen wird in eine konzentrierte Aufmerksamkeit auf die Person Jesu Christi selbst und in welcher der historische Mittler des Reiches Gottes mit dem präexistenten Sohn identifiziert wird, der Heil von Gott her auf die Erde bringt.

In meinen Jesusbüchern will ich zum Ausdruck bringen, daß *Soteriologie* – Reich Gottes als Heil für Menschen: der Kern der Verkündigung Jesu – der *Christologie vorausgeht*, in der Ordnung der Entstehung der christologischen Erkenntnis. Auch die besondere Ostererfahrung ist ein *soteriologisches* Geschehen[42]. Erst dann erhält die Frage: Wer ist der, der solches zu tun vermag?, ihre volle Bedeutung. Mit anderen Worten: Die ausdrückliche ‚Wer-Religion' *folgt auf* die ‚Was-Religion', um eine moderne jüdische Unterscheidung zu übernehmen, wenn auch von Anfang an die ‚Wer-Christologie' implizit in der ‚Was-Christologie' beschlossen liegt. So gesehen, ist die soteriologische *Frage nach der Christologie* durchaus eine ‚second order'-Frage, weil sie ein erstes Geschehen, die Heilserfahrung mit Jesus, schon voraussetzt. Aber gerade bei dieser Frage kann offenkundig werden, daß nicht mehr in der Ordnung der Erkenntnis, sondern in der Ordnung der Wirklichkeit die Personidentität Jesu die Grundlage seines Erlösungswerkes ist, und *so* geht ‚Christologie' der Soteriologie voraus. Wie Kasper ausgerechnet mich dann fragen kann, ob eine Christologie, die nicht zugleich Soteriologie ist, möglich ist[43], ist mir völlig unver-

---

[42] W. Kasper versteht außerdem, was ich „die Theo-logie Jesu von Nazaret" nenne (I, 485), offensichtlich in einem Sinn, der das besondere soteriologische Moment der Ostererfahrung zu Unrecht außerhalb dieses Begriffs läßt.
[43] *Kasper*, a. a. O. 360. Auffallend ist, daß *W. Dantine*, Tendenzwende oder adaptive Beharrung? Gedanken zur gegenwärtigen katholischen Christologie, in: Materialdienst des Konfessionskundlichen Instituts Bensheim 26 (1975) 108–113, erklärt, daß ich gerade die Soteriologie in den Mittelpunkt stelle und von da her zu einer Christologie kommen will; damit widerspricht er der Interpretation meines Buches durch Kasper radikal.

ständlich; gerade das aufzuzeigen ist die ganze Tendenz meiner beiden Jesusbücher, die ja von einer Soteriologie aus und in einer Soteriologie letztlich eine Christologie ausbauen wollen[44]. Und gerade aus dem erhofften dritten Teil meiner Trilogie über Erfahrung von Heil von Gott her in Jesus soll hervorgehen, daß das innere Band zwischen Soteriologie und Christologie *pneumatologisch* ist. Aber selbst ohne dieses dritte Buch zeigen schon meine beiden Bücher, daß das Urteil, nach welchem in meinem ersten Buch eine Tendenz liegt, „in eine künftige Jesulogie in orthopraktischer Absicht" auszulaufen[45], eine Karikatur ist. In ‚Jesus der Christus' gibt W. Kasper eine Christologie, die von Anfang an das volle Dogma in ihre Thematisierung einbezieht. Ich will dagegen durch meine beiden Jesusbücher Gläubige *zu einer Christologie* hinführen. Beide Perspektiven sind legitim. Aber man kann seine eigene Perspektive nicht so zur einzigen legitim-theologischen Möglichkeit verselbständigen, daß man kein Verständnis für andere Möglichkeiten aufzubringen vermag. Niemand hat das Bedürfnis, daß auch Theologen ihren Beitrag zu der zunehmenden Polarisierung der Fronten liefern, so als sorge sich die eine Theologie mehr, die andere weniger darum, den unverkürzten christlichen Glauben theologisch zu sichern. Es gibt offensichtlich weit mehr einen ‚Pluralismus der Ängste'!

Die Heilserfahrung (Soteriologie) läßt uns innerlich-notwendig die Frage nach der Identität Jesu (Christologie) stellen. Linguistisch kann

---

[44] R. Michiels gibt zu, daß er ziemliche Mühe gehabt hat mit der eigentlichen Absicht des Buches, sagt aber, daß er nach der Lesung auch des zweiten Jesusbuches erst richtig einsehe, daß es in beiden Büchern um eine *Soteriologie* mit dem Blick auf eine Christologie gehe (in: De Standaard vom 23. Dezember 1977). Das ist eine glückliche Intuition. Zugleich beweisen diese Schwierigkeiten beim Lesen meines Textes, daß ich meine Untersuchung gerade nicht von einer vorgefaßten Idee aus begonnen habe, sondern ‚offen', abwartend, wohin mich dies führen werde. Als die Arbeit weiter fortgeschritten war und die Perspektiven deutlicher wurden, habe ich, nachträglich in der Endredaktion, das Material *daraufhin geordnet*. Aber diese Endredaktion darf den Leser den suchenden ‚ordo inventionis' nicht vergessen lassen, in dem mir – selbstverständlich – noch vieles unklar war. Selbst in der Endredaktion ist diese Unklarheit noch ‚zu spüren'. Nicht jedes, aber ein bestimmtes, orthodox-verkrampftes Mißverständnis meines (vor allem ersten) Jesusbuches scheint mir daher unbegründet.
[45] *Kasper*, a. a. O. 360. Gleichartige Äußerungen bei *W. Löser*, a. a. O. 264. Es ist auffallend, daß *Magnus Löhrer* in: Schweizerische Kirchenzeitung 145 (1977) 7–12, der die Christologien von Küng, Kasper und Schillebeeckx miteinander vergleicht, von Kasper und mir sagt: „Die Christologie wird keineswegs auf eine Jesulogie reduziert" (10b), und sowohl für mich als auch für Kasper gilt die Einheit des irdischen Jesus und erhöhten Christus als das Grundprinzip aller Christologie (a. a. O. 10b).

man die Christologie also eine ‚second order'-Ebene gegenüber der Soteriologie nennen. Das bedeutet keineswegs, daß die Christologie bloß auf der Ebene ‚abstrakter Reflexionsaussagen' läge[46]. Ich selbst habe gesagt: „Doch ist sie (die zweite Reflexion) auch nicht bloß als ‚Meta-Sprache' gemeint, das heißt als ein *Sprechen über* ‚das *gläubige Sprechen* von Jesus' in sprachanalytischem Sinn" (I, 485). Mit anderen Worten, die Explizitmachung der Frage nach der wahren Identität Jesu, als erfahrenes Heil von Gott her, ist nicht Sache der Theologie allein, sondern zuallererst und primär dieses Heil erfahrenden Glaubens selbst. Auch konziliare Texte sind noch liturgische Homologien; und welcher Theologe weiß nicht, daß die Grundlage des Trinitätsdogmas historisch in der liturgischen Taufformel liegt? Ich frage mich nur, wie W. Kasper und W. Löser aus meinem Gebrauch der Terminologie ‚second order'-Aussagen bei mir die Negation dieser theologischen Evidenzen anzunehmen wagen. Der Text gibt dazu überhaupt keinen Anlaß, was andere Rezensenten auch ausdrücklich einräumen. Ich gebe jedoch zu, daß, wenn ich diese mir unverständlichen Mißverständnisse hätte voraussehen können, ich bestimmte Passagen anders formuliert hätte, das heißt so, daß sie schon eine Antwort auf diese Einwände enthalten hätten[47]! Hier verrät sich offensichtlich auch unter Theologen der Pluralismus von Besorgnissen, Ängsten und Intentionen, die unterschiedliche Akzente setzen lassen und andere mehr im Hintergrund lassen. Ein *genetischer* Entwurf einer Christologie wird natürlich andere Akzente setzen als ein Entwurf, in dem man von Anfang an eine ‚vollständige Christologie' präsentiert. Aber wenn wir heute noch immer durch die Vermittlung der Kirche wirklich *auf das Zeugnis der Apostel hin* glauben (worauf W. Löser und W. Kasper u. a. mit Recht den Nachdruck legen), dann ist es gerade deshalb sehr wichtig, eine

---

[46] „Abstrakte Reflexionsaussagen" (*Kasper*, a. a. O. 360 A).

[47] Man kann natürlich an nicht-wesentlichen Stellen in meinem Buch hier und da zusammenfassende Äußerungen finden, in denen gesagt wird, Christologie sei eine Interpretation des Lebenswerkes Jesu (auch bei *W. Kasper* in seinem Buch ‚Jesus der Christus' [Mainz 1974] sind solche ‚rekapitulierenden' Äußerungen zu finden); denn auch das *ist* Christologie! Aber solche Äußerungen haben, weder bei Kasper noch bei mir, die Absicht, die besondere Struktur dieser komplexen Interpretation und somit das besondere Moment der Ostererfahrung darin zu leugnen. Damit will ich sagen, daß eine *christologische* Interpretation erst nach dem Tod Jesu beginnen kann, und nicht, daß diese Auslegung reine Reflexion auf den vorösterlichen Jesus ohne irgendwelche formal-neue Erfahrungen ist. Das wäre die Negation der Bedeutung, die ich der metanoia nach dem Tod Jesu beimesse.

Einsicht in die Entstehung dieses apostolischen Glaubens zu erlangen. Diese Art des Vorgehens kann zudem eine kritische Funktion haben gegenüber überlieferten sogenannten ,Selbstverständlichkeiten'. Theologisch ist das kein Mißtrauen in den Heiligen Geist, der die Kirche lenkt, sondern eher, aus Achtung vor dieser Leitung, ein Auf-die-Suche-Gehen nach den historischen Vermittlungen, in denen diese pneumatische Leitung bei der Entwicklung der Kirche stattfindet. Selbst der von mir noch zu sehr vernachlässigte sozial-ökonomische Aspekt in diesem Prozeß würde uns einen noch besseren Einblick vermitteln, wie der Geist Gottes in den ups and downs der Kirche wirkt. Gerade deshalb erhält die historisch-genetische Methode in meinen beiden Jesusbüchern einen verhältnismäßig weiten Raum als *Prolegomena* einer Christologie. Nicht rhetorisch, sondern im vollen Bewußtsein der wirklichen Problematik nenne ich daher auch noch mein zweites Jesusbuch ein *Prolegomenon* (II, 18–19). In diesem Kontext erhält auch die Unterscheidung zwischen ,first' und ,second order'-Glaubensaussagen seinen Sinn. Dies alles hat also nichts mit Ursprungsromantik zu tun!

Schließlich beurteilen mich manche falsch, wenn sie mich das synoptische Modell gegen das johanneische Modell ausspielen lassen. In seiner sehr objektiven Analyse meines ersten Jesusbuches sieht B. Lauret[48] das richtig, wenn er mich so interpretiert, daß ich keinen Gegensatz zwischen den beiden Modellen herstellen, sondern *innerhalb* einer Paschachristologie die Synoptiker und die vor   nizänische Tradition von neuem signifikant machen will, um von dort aus die reale Frage (die sich – so füge ich selbst hinzu – schon aus dem großen dreibändigen Werk ,Das Konzil von Chalkedon. Geschichte und Gegenwart', hrsg. von A. Grillmeier und H. Bacht ergeben hatte) nach vielleicht neuen Modellen zu provozieren (I, 494–503 und die darauf folgenden Betrachtungen, I 504–505). Dabei weist dieser Autor abermals darauf hin, daß für mich Christologie nicht *nur* Interpretation des Lebenswerkes Jesu ist, sondern von Anfang an auch Anerkennung der Kraft einschließt, die aus dem auferstandenen Jesus kommt, der unter uns lebt (er verweist auf I, 574) und Sieger über den Tod ist. Ich lasse diese für mich selbstverständliche Auffassung gern auch einmal von einem

---

[48] *B. Lauret,* Bulletin de christologie, Nr. 8: E. Schillebeeckx, in: Revue des Sciences Phil. et Théol. 61 (1977) (596–604) 602.

meiner kritischen Leser aussprechen, der dies alles tatsächlich darin gelesen hat.

b) Prolegomena und das Problem von I, 555–594

Auf den letzten, ,systematischen' Teil von ,Jesus, die Geschichte von einem Lebenden' sind die Reaktionen am unterschiedlichsten. *Einerseits* liest man darin das Bekenntnis einer plötzlich aufkommenden hoch-christlichen Orthodoxie, in deutlichem Widerspruch zu den vorhergehenden Teilen. Ohne Zusammenhang mit dem inneren Aufbau dieses Buches in den ersten drei Teilen soll ich im vierten Teil schließlich in eine ,klassische Christologie' zurückfallen (die manche dann begrüßen, allerdings deutet man damit an, daß die drei ersten Teile besser weggeblieben wären). *Anderseits* stößt man bei anderen, die vor allem von den drei ersten Teilen begeistert sind, auf eine Enttäuschung über diesen vierten Teil, der die besondere Dynamik und Versprechungen dieser ersten Teile nicht konsequent durchhalte.

Beide Reaktionen sind verständlich. Obwohl sie über die Vorgeschichte dieses ersten Jesusbuches selbstverständlich nichts wissen konnten, haben sie doch intuitiv etwas davon verspürt (der Text gibt Anlaß dazu). Deshalb muß ich hier ein Bekenntnis über diese Vorgeschichte ablegen. Mein erster Plan war es, Jesus, die Geschichte von einem Lebenden' ohne diesen vierten Teil zu veröffentlichen (zumindest ohne I, 555–594), um dann erst als Schluß des zweiten Jesusbuches nach der Analyse der *neutestamentlichen* Soteriologien und Christologien zu einer zeitgemäßen christologischen Synthese zu kommen. Erst im allerletzten Moment bin ich davor zurückgeschreckt, weil ohne jede christologische Synthese das erste Buch für viele voll von mancherlei fundamentalen Fragezeichen hätte sein können. Nur deshalb habe ich einen vorläufigen flüchtigen ,systematischen Teil' (nämlich I, 555–594; knapp 40 Seiten) angefügt. Ursprünglich endete mein Buch mit 1, 554; mit anderen Worten, I, 509–554 war als *Abschluß* dieses ersten Jesusbuches gedacht: das Aufzeigen der eigentlichen Probleme, die das zweite Jesusbuch einleiten sollten. Nur ungern habe ich I, 555–594 angefügt, weil ich dadurch inkonsequent wurde mit dem allmählichen Aufbau einer Christologie (zum Abschluß habe ich in I, 594–598 dann den Zusammenhang mit der ,suchenden Christologie' der früheren

Teile wieder herstellen wollen). Ich gebe daher als erster zu, daß der Leser, der die schwere Mühe auf sich genommen hat, sich durch die ersten drei Teile (plus I, 509–554) hindurchzuarbeiten, in seinen Erwartungen durch diesen (vorläufigen) klassischen Einschub von I, 555–594 tatsächlich nicht belohnt worden ist. Die Arbeit an der Überbrückung der akademischen Theologie zum Glaubensleben des Christen in der heutigen Welt wurde durch diesen Einschub in Wirklichkeit kurz abgebrochen, um im zweiten Jesusbuch nur wieder aufgenommen zu werden. Ich habe in einer bewußten Entscheidung den Preis dafür bezahlen wollen. Aus zwei Gründen: Erstens war ich mir bewußt, daß, wenn ich dieses Buch ohne eine kurze Besinnung auf das Dogma von Chalcedon veröffentlicht hätte und viele Leser, Gläubige, also nur mit der *Entstehung* des neutestamentlichen Glaubens konfrontiert worden wären, diese auf eine meines Erachtens nicht verantwortliche Weise hätten beunruhigt werden können. Die Tatsache, daß nun sogar ein paar, nicht einmal ausdrücklich ‚konservative‘ Theologen – wenn es sinnvoll ist, sich in diesen Begriffen auszudrücken – das Buch fundamental mißverstanden haben, bestätigt, daß meine Furcht vor *illegitimer* Glaubensbeunruhigung richtig war, wenn ich auch christlich-legitime Anlässe für eine ‚Glaubensbeunruhigung‘ gelten lasse. Zweitens, weil die Gefahr bestanden hätte, daß die Bedeutung des Akzentes, den ich auf die theologische Bedeutung einer historisch-genetischen Untersuchung des apostolischen Glaubens setze, ohne eine Besinnung auf das Konzil von Chalcedon bei vielen dadurch vielleicht noch verdächtiger geworden wäre. Ich war mir also bewußt, daß der konsequente allmähliche Aufbau des vorgenommenen christologischen Projekts durch diesen Einschub durchbrochen würde. Ich meine aber, daß ‚Glaubensbarmherzigkeit‘ (siehe II, 575) auch den Theologen auszeichnen muß. Man kann mich darin, vielleicht zu Recht, kritisieren, aber dieses Handicap habe ich um der Sache willen, die der christliche Theologe vertritt, gern auf mich genommen.

Das bedeutet nicht, daß ich mit diesem vorweggenommenen und kurzgefaßten Einschub plötzlich einen ganz anderen Weg eingeschlagen hätte. Zum Fundament dieser vorläufigen Synthese wählte ich gerade ein Kernstück aus dem Begriff mosaisch-messianischer *eschatologischer Prophet*, nämlich Mose, den Führer des Volkes, der „von Angesicht zu Angesicht mit Gott spricht“, „wie ein Freund mit einem geliebten Mitmenschen spricht“ – im Neuen Testament hinsichtlich

Jesu in seinem Abba-Erlebnis ausgedrückt. Ich habe darauf hingewiesen, daß dieses Abba-Erlebnis nicht von der befreienden Lebenspraxis Jesu getrennt werden kann und erst in dieser ihre Besonderheit findet. Jesus hat weniger eine neue Lehre von Gott im Gegensatz zur jüdisch-jahwistischen Tradition gepredigt, er hat vielmehr ein besonders scharfes prophetisches Auge gehabt für die *tatsächliche soziale Resonanz* dieses Gottesbegriffs in der damaligen jüdischen Gesellschaft zum Nachteil der Kleinen. Er hat einen Gottesbegriff entlarvt, der Menschen knechtet, und ist für einen menschenbefreienden Gott eingetreten. Sein Abba-Erlebnis ist, so habe ich gesagt, erst einzigartig innerhalb seiner befreienden Botschaft und Lebenspraxis. Jesus ruft Gott als Vater an auf der Grundlage von und in dem Kontext seines befreienden Handelns. Wer das Abba-Erlebnis Jesu von seinem heilenden, befreienden und versöhnenden Auftreten trennt, verkennt die historische Jesuswirklichkeit.

Daß ich also in diesem ‚klassischen Einschub‘ im vierten Teil meines ersten Jesusbuchs plötzlich die Parusiechristologie des eschatologischen Propheten vergessen hätte, scheint mir unrichtig, wenn ich auch nur einen Aspekt derselben in diesem synthetischen Einschub deutlich gemacht habe. Im Neuen Testament geht es um die besondere Beziehung Jesu zum kommenden Reich Gottes, als Heil von und für Menschen, dessen Jesus und teilhaftig machen will. Diese eine Grundgegebenheit aus den Analysen meines Buches habe ich in der Einschubsynthese (I, 555–594) *in Zusammenhang gebracht* mit dem christologischen Dogma von Chalcedon – mehr nicht. Ich weiß also, daß die Möglichkeiten und Versprechungen meiner ersten drei Teile in dieser Synthese nicht aktualisiert worden sind und daß diese Synthese dort eigentlich nicht an der richtigen Stelle steht. Vor allem das zentrale Ergebnis meiner vorausgegangenen Untersuchungen, nämlich die *Parusiechristologie vom eschatologischen Propheten des kommenden Reiches Gottes* als ‚*Mutter alles Christentums*‘[49], und daher als *leitendes* und *mahnendes Kriterium* für alle ‚*Christologie zweiten Grades*‘

---

[49] Damit möchte ich die Berufung auf die Apokalyptik, wie sie sich neuerdings bei *J. B. Metz* findet, (vor allem in: Glaube in Geschichte und Gesellschaft [Mainz 1977] 149–158, und in: Zeit der Orden? Zur Mystik und Politik der Nachfolge [Freiburg i. Br. 1977] korrigieren. Nicht die ‚Apokalyptik‘ ist die ‚Mutter des Christentums‘, sondern die christliche Interpretation des Kommens des Reiches Gottes: Parusiechristologie des eschatologischen Propheten.

(I, 482–486), habe ich darin noch nicht systematisch ausgearbeitet (hoffentlich aber in meinem dritten Jesusbuch).

Es hat daher wenig Sinn, hier ausführlich auf die Einwände einzugehen, die auf diese Mängel hinweisen, weil ich dann zu sehr das dritte Buch vorwegnehmen müßte. Anderseits kann ich auch nicht so tun, als gäbe es diesen vierten Teil meines ersten Jesusbuches nicht. Ich gehe daher schließlich nur auf die Kritik ein, die sich auf das bezieht, was in diesem Teil tatsächlich steht.

Ein häufiger Einwand ist: Wo bleibt in der Darlegung der Leidensgeschichte (I, 527–554), in der ich ausführlich über Sinn und Sinnlosigkeit, Recht und Unrecht, Liebe und Lieblosigkeit in unserer menschlichen Geschichte spreche, die Erwähnung von Sünde und Schuld? Was ist die besondere Art, die Natur des Heils, das Jesus uns anbietet? In der Tat fundamentale Fragen – fundamental auch für eine Christologie, die sich aus einer Soteriologie entwickeln will. Diese Fragen sind aber ausführlich in meinem zweiten Jesusbuch beantwortet, entsprechend meinem Plan einer allmählichen Entwicklung der Soteriologie zur Christologie. Im ersten Jesusbuch ist dies alles vorläufig nur in dem ständig wiederholten Schlüsselwort: Heil-von-Gott-her durch die Vermittlung Jesu als des eschatologischen Propheten des kommenden Reiches Gottes enthalten. Aber warum nimmt man a priori an, daß ich Heil auf menschliches Wohl und emanzipative Freiheit unter Leugnung des *religiösen* Heils reduzieren will? Jedenfalls erhalten diese Zweifler genügend Auskunft in meinem zweiten Jesusbuch.

Einen wichtigeren Einwand findet man, fast identisch formuliert, bei W. Kasper und W. Löser[50]: Teilerfahrungen sind für mich nicht mehr eine *implizite Partizipation* am Gesamtsinn der Wirklichkeit, sondern die *Antizipation* eines totalen Sinns inmitten einer noch werdenden Welt (I, 548). Was beide Autoren genau dagegen einwenden, sagen sie nicht. Es wird einfach thetisch behauptet, Sprechen über Antizipation anstatt von Partizipation, wie ich es tue, sei „philosophisch ziemlich oberflächlich". Ich will positiv darlegen, worum es bei diesem augenscheinlich subtilen Unterschied geht. Zunächst möchte ich die *Offenheit* unserer werdenden Geschichte und deshalb die Realität der fortschreitenden Geschichte auch nach dem Christusgeschehen sicherstellen. Das heißt, die in Jesus vollendete Erlösung wird so dargestellt

---

[50] *W. Löser*, a. a. O. 264: *W. Kasper*, a. a. O. 358 B.

werden müssen, daß unsere Geschichte tatsächlich menschliche Geschichte bleibt. Solange die Geschichte noch im Werden ist, besitzt sie in sich selbst noch keine Totalität und kann ihr Gesamtsinn nur in einer Antizipation gegeben sein, beispielsweise in marxistischen, christlichen oder anderen Sinnantizipationen. (Übrigens, vor allem Kasper scheint *seinen* Gebrauch von ‚Sinnantizipation‘ in vielen seiner anderen Werke plötzlich vergessen zu haben.) Die Grundlage aber und vor allem die besondere Realitätsform dieser verschiedenen Antizipationen ist selbst mannigfacher Art. Für den Christen ist sie das, was sich in Jesus dem Christus *vollzogen hat.* Das kann und wird aber auch auf verschiedene Art dargelegt. Wer will leugnen, daß der Gedanke der ‚objektiven Erlösung‘ – alles ist in Jesus Christus schon vollbracht – die kritsch-prophetische Kraft des Christentums oft eingekapselt hat? Der Ort des Christen ist dann nur das Kirchengebäude, in dem diese Erlösung gefeiert wird, während die Welt und ihre Geschichte des Leidens und des Unrechts sich selbst überlassen werden. Natürlich ist für den Christen in und durch Jesus offenkundig geworden, daß trotz allem das Reich Gottes, als Heil für Menschen, doch kommt; was in Jesus Christus vollzogen wurde, bürgt dafür. Die Verheißung von totalem Sinn ist daher nicht nur ein *Wort der Zusage,* sondern im ‚Ersten‘ vieler Brüder eine lebendige Verheißungswirklichkeit. Von daher hat der Gedanke einer ‚objektiven Erlösung‘ seine klare dogmatische Bedeutung. Christliches Heil läßt sich nicht einseitig eschatologisieren; mit anderen Worten, das Endheil ist letztlich nicht mehr unentschieden[51], darüber besteht Glaubenssicherheit. *Wie* das jedoch mit der real weitergehenden Leidens- und Schuldgeschichte der Menschheit in Einklang gebracht werden kann, läßt sich *theologisch-theoretisch* (I, 577–578) meines Erachtens nicht weiter erklären[52]. Diese theoretisch-argumentative rationale Unvereinbarkeit des in Jesus gegebenen Heils mit der real weitergehenden Geschichte (was deutlich die Grenzen der menschlichen Vernunft zeigt), ist für mich der Grund, nicht von impliziter *Partizipation* an einem schon *vorgegebenen totalen Sinn*

[51] Siehe auch *J. B. Metz,* Glaube in Geschichte und Gesellschaft, der sich mit Recht gegen eine ‚Konditionalsoteriologie‘ wendet (117).

[52] Siehe auch *J. B. Metz,* a. a. O. 117–118, der darauf auch die Notwendigkeit eines narrativ-praktischen Christentums gründet. Vgl. *B. Wacker,* Narrative Theologie? (München 1977) und die wichtigen kritischen Fragen von *D. Mieth,* Erfahrung und Moral (Fribourg 1977].

zu sprechen, sondern von einer ‚orthopraktischen' Antizipation, nicht nur trotz, sondern sogar in dem Leiden, dank dem, was in Jesus als dem Christus tatsächlich schon vollzogen ist und was außerdem in der Liturgie gefeiert wird (das wurde näher ausgeführt in II, 787–822). Damit distanziere ich mich von Auffassungen, in denen das Heil in Christus tatsächlich völlig eschatologisiert wird. Solche Auffassungen, die offensichtlich weitere Verbreitung finden, nehmen durch diese einseitige Eschatologisierung Jesus als dem Christus seine *für unsere Geschichte* definitiv-entscheidende Bedeutung. Aber ich sehe nicht ein, aus welchem Grund man sogar das, was ich in meinem ersten Jesusbuch gesagt habe, mit einer „Jesulogie in orthopraktischer Absicht" (Formulierung von W. Kasper) identifizieren kann. Ich habe angenommen, daß sogar die christliche Aufklärung des 18. Jahrhunderts den Mythos eines ‚Rabbi Jeschua' selbst für ihr bürgerliches Christentum zu mager fand! Sollten wir, indem wir abermals die Lehren der Geschichte vergessen, unserer Welt nichts Besseres anzubieten haben als einen ‚progressiv ausstaffierten ‚Rabbi-Jeschua'?

D. DAS FEHLEN DER KIRCHE?

Nur einige Kritiker erwähnen vorwurfsvoll das Fehlen ‚der Kirche' in meinen beiden Jesusbüchern.

Oben habe ich schon gesagt, daß in meiner christlichen Interpretation die ganze kirchliche Tradition hermeneutisch eine Rolle spielt. In dem ersten Jesusbuch sage ich sogar wiederholt: Ohne historisch kirchliche Vermittlung wüßten wir nicht einmal etwas Sinnvolles über einen gewissen Jesus von Nazaret zu sagen (I, 14; auch I, 28–29 usw.). Doch gebe ich zu, daß ich vor allem das Wort ‚Kirche' auffällig selten gebraucht habe, und zwar absichtlich; einerseits aus einer christlichen kritischen Reaktion auf einen bestimmten *Ekklesiozentrismus*, der den auf *das Reich Gottes gerichteten* Christozentrismus beeinträchtigt; anderseits, weil ich in dem dritten Band dieser Trilogie über Jesus Christus (siehe II, 823) unter anderem die Pneumatologie und Ekklesiologie, die implizit in den ersten beiden Jesusbüchern enthalten sind, explizit behandeln will, aber dann aus einem dauernden Blick auf das Reich Gottes und die messianische Bedeutung Jesu für das Kommen dieses Reiches des auf menschliches Heil bedachten Gottes.

Es bleibt ja doch bemerkenswert, daß das Zweite Vatikanische Konzil uns beispielsweise zwar eine ausführliche dogmatische Konstitution ‚über die Kirche' (Lumen Gentium) präsentierte, uns aber keine frohmachende Botschaft von dem zu geben wußte, was Jesus als der Christus heute für unser Suchen nach Gott in Sorge für die Menschen bedeuten kann. Mit anderen Worten: Hier war die Ekklesiologie explizit, während die Christologie eher implizit blieb. Das ist geschichtlich vielleicht verständlich, aber theologisch ist es doch nicht die gesündeste Situation. Die Folge davon ist, daß sich der Vorwurf, hinter hohen sakralen Worten über die Kirche (von ihren Führern selbst ausgesprochen) stecke auch die Wahrung eigener Machtposition, schwieriger widerlegen läßt. Eine Kirche aber, die mehr Jesus als den Christus und weniger sich selbst verkündet, würden viele Christen begrüßen.

An dieser neuen kirchlichen Konzentration auf das Reich Gottes und der Rolle Jesu Christi in ihm habe ich durch die Art und Weise, wie diese beiden Jesusbücher geschrieben sind, tatkräftig mitwirken wollen, während anderseits ein reformatorischer Kollege richtig urteilt, wenn er von meinem zweiten Jesusbuch schreibt: „Vielleicht *scheint* das Buch abseits von der Kirche zu stehen, weil es zunächst *kritisch* in Richtung der Kirche als Institution wirken will. Aber dann ist das ‚Nein' eingebettet in ein tieferes ‚Ja'."[53] Schließlich schreibt niemand eine Christologie für die Ewigkeit, sondern zum Nutzen heute lebender Menschen, in der Hoffnung, in ihr das Echo des apostolischen Glaubens einigermaßen hörbar gemacht zu haben.

Viele Christen werden stark von diesem Jesus angesprochen, fragen aber nach einem Identifikationsmodell. Denn ohne ein solches Modell kann der einzelne Mensch kaum leben, auch nicht als Christ. In der Tat, christliche Personidentität und kirchliche Identität sind korrelativ; beide bedürfen der gegenseitigen Bestätigung. Wo diese fehlt, wo nur Teilidentifikationen möglich sind – sei es der Gläubigen mit der großen Kirche, sei es der großen ‚offiziellen Kirche' mit den Gläu-

---

[53] *A. Geense*, Het vijfde evangelie, in: De Tijd vom 16. Dezember 1977, 47. Deshalb finde ich das Urteil von J. B. Metz über den ‚Idealistischen' Charakter (d. h. ein undialektisches Verhältnis von Theorie und Praxis) aller heutigen Christologien, bei deren Aufzählung er neben denen von K. Rahner, W. Kasper, H. Küng auch meine nennt, etwas voreilig (*J. B. Metz*, Glaube in Geschichte und Gesellschaft 49, Anm. 6).

bigen, sei es der christlichen Kirchen untereinander –, dort kennt die Geschichte der christlichen Erfahrungstradition ein Krisenmoment.

Aber für den, der etwas von der Geschichte und der ‚Antigeschichte' kennt, ist es klar, daß diese Krise keiner einzigen Epoche des Christentums erspart geblieben ist. Obwohl ein mächtiger ‚Ursprungsidealismus' (auch religiös) verführerisch ist – die Kirchengeschichte des Urchristentums belehrt uns aber eines besseren! –, bleibt eine der grundlegenden, hartnäckig aufrechterhaltenen Thesen, vor allem der römisch-katholischen Kirche, daß sie von oben bis unten auch eine Kirche der Sünder ist und daß es eine der heiligen Grundabsichten Jesu war: Widerstand gegen die Idee der einen, exklusiven ‚heiligen Restgemeinde' – die Qumran-Idee, die ein Begleitphänomen aller christlichen Zeiten zu sein scheint. Heil-von-Gott-her in Jesus, erfahren und angenommen von Menschen, die aus der gleichen Inspiration und Heilserfahrung wesentlich Gemeinschaft – Kirche – bilden, wird auch von dieser Gemeinschaft und ihren Führern in der *condition humaine* erfahren. Und dieser ‚menschliche Mangel' ist kein Alibi für Schuld und Untreue, sondern der wahrhaft christliche Aufruf, der von Jesus an uns ergeht, nicht unsere Wachsamkeit aufzugeben, sondern selbst nie grimmiger zu werden als unser aller Gott: „Er liebte uns, als wir noch Sünder waren" (Röm 5, 8). Aber damit greife ich schon dem ekklesiologischen Teil meines hoffentlich noch erscheinenden Jesusbuches voraus.

VI.

Reich Gottes: Schöpfung und Heil

Manche sind der Ansicht, ich habe im vierten Teil des zweiten Jesus-buches vor allem von sozial-politischer Befreiung, zuwenig von mysti-scher Befreiung des Menschen gesprochen. Das scheint mir ein Urteil zu sein, welches das Gewicht einer Frage an der Zahl der Seiten mißt, die ihm gewidmet wurden. Ein bestimmtes Thema kann wegen seiner Kompliziertheit eine längere Darlegung erfordern, aber das braucht noch nichts über die besondere Bedeutung dieses Themas zu sagen. Im übrigen leugne ich die behauptete Alternative: politische Befreiung *oder* mystische Befreiung. Die Intention dieses vierten Teils ist das *Heil*-sein des Menschen, und diese Heilmachung hat sowohl sozialpo-litische als auch mystische Dimensionen, ohne daß man beide gegen-einander stellen kann. Neustruktuierung und innere Bekehrung sind ein dialektischer Prozeß. Es ist außerdem eine Tatsache, daß man die Jahrhunderte oder die Epochen der ‚Mystik‘ auch sozial-ökonomisch bestimmen kann.

Das ‚Symbol‘ GOTT und das ‚Symbol‘ JESUS erhalten im christli-chen Evangelium eine besondere kritische und produktive Kraft: eine Religion, die – wie auch immer – real *entmenschlichend* wirkt, ist ent-weder eine falsche Religion oder eine Religion, die sich selbst falsch versteht. Mystik, die ungerechten Zuständen gegenüber gleichgültig bleibt und sie nur durch Mystik *übersteigen* will, zeugt von einer redu-zierten Auffassung vom Menschen. Befreiungspathos aber ohne Mystik ist ein Stück Menschlichkeit, aber bei Ausschluß aller Mystik wird dieses Pathos genauso menschenentfremdend. Dieses Kriterium der ‚Humanisierung‘ ist keine Reduktion des wahren Christentums, sondern in der Gegenwart die erste Voraussetzung menschlicher Mög-lichkeit und Glaubwürdigkeit. Das Kommen des Reiches Gottes ist in der ganzen Bibel das Kommen Gottes als Heil *von und für* Menschen. Jesus Christus ist das große Symbol dieses und keines anderen Gottes: „Bild des unsichtbaren Gottes" (Kol 1, 15). Diese biblische Auffassung verlangt von Christen eine unbedingte Sorge für jeden Menschen, vor allem für den Menschen, der persönlich oder strukturell in Not ist. Das erfordert von ihnen einen Einsatz, der sowohl auf bessere Strukturen als auch auf den konkreten Menschen und seine wirklichen Bedürfnisse bedacht ist, die keineswegs so sind, wie eine bürgerliche Reklame uns glauben machen will. Der biblische Begriff der ‚Herrschaft Gottes‘ kann uns darüber eine ganze Menge sagen.

A. DIE SCHÖPFUNG ALS AKT DES VERTRAUENS GOTTES IN DEN MENSCHEN

Sowohl die deuteronomische als auch die jahwistische Auffassung von Israels Königtum, das im zehnten Jahrhundert vor Christus unter Samuel und Saul eingeführt wurde, ist wichtig für das Verständnis des jüdisch-christlichen Begriffs der Herrschaft und des Reiches Gottes — wenn dieser Begriff auch später, vor allem in der Apokalyptik, verschiedene neue Nuancen erhalten wird, die das Neue Testament mitbeeinflußt haben.

Wenn sich die *deuteronomische Theologie* in ihrem großartigen historischen Entwurf, etwa ein halbes Jahrhundert nach dieser Einführung des Königtums in Israel, auf diese älteren Ereignisse besinnt, ist dieses Königtum schon völlig gescheitert. Ihre Auffassung ist denn auch, daß allein Jahwe ‚in Israel herrscht‘ und daß dort, wo Jahwe herrscht, alle Herrschaft von Menschen über Menschen aufhört (siehe auch im Neuen Testament Mt 20,25–26; Mk 10,42–43; Lk 22,25). Wenn 1 Sam 8,11–18 *menschliche* Herrschaft beschreibt, hören wir nur von Ausbeutung, Steuerlasten, Kriegsdienst, Enteignung und Versklavung. Daher wird dem Volk, das einen König wie die anderen Völker will, beschwörend gesagt: „Wenn es soweit ist, werdet ihr bei Jahwe eure Not klagen über den König, den ihr selbst gewollt habt, aber dann wird Jahwe nicht antworten“ (1 Sam 8,18). Gerade weil allein Jahwe Israels König ist (1 Sam 12,12), kann die Einführung des Königtums nur Knechtung und Ausbeutung bedeuten. Dann ergeht es Israel wie überall in der Welt. Aber das Königtum ist gekommen. Die deuteronomische Theologie konnte diese Tatsache nicht leugnen und löst das Problem mit einem Kompromiß: „Wenn ihr, sowohl *ihr selbst* als auch der *König, der über euch herrscht*, Jahwe nur fürchtet, ihm dient, auf ihn hört, sein Gebot nicht verachtet und ihm folgt" (1 Sam 12,14)! Dann herrscht letztlich allein Gott; dann gibt es Heil und Frieden für die Menschen in Israel. Für diese Theologie ist Herrschaft Gottes die Befreiung des Menschen. Mehr noch, das historische Ereignis der ‚Herausführung Israels aus Ägypten' durch Jahwe ist, in damaligen Rechtsbegriffen, der Rechtsgrund der Herrschaft Jahwes über Israel. Gerade deshalb muß Israel seinem Befreier ‚nachfolgen', das heißt, allein Jahwe dienen und keine anderen Bindungen dulden: Dienstpflicht gegenüber Jahwe heißt befreit sein von allen anderen Unterwerfungen. Man dient nur einem Herrn. Und so ist das Reich Gottes tatsächlich *Herrschaft*, aber als Herrschaft *Gottes* ist es zugleich die Aufhebung jeder fremden Herrschaft, von Menschen über Menschen und von selbst eingegangenen Bindungen. *Alles loslossen* ‚um des Reiches Gottes willen': das ist die einzige frei machende Herrschaft, weil sie die Herrschaft von Gerechtigkeit und Liebe bedeutet, ein Herrschen, das die Kleinen aufrichtet (Dtn 7,6–9). Später wird auch für Paulus das Freiwerden der Christen vom Gesetz doch ein ‚en-nomos', ein Kommen unter das Gesetz Christi bedeuten (1 Kor 9,21), das ein Gesetz der Liebe und nicht schrankenlose Willkür ist. Unseren heutigen, verständlichen Unmut über alles, was das Wort Herrschaft assoziiert, werden wir ablegen müssen, nicht gegenüber dem genauso mißbrauchten Wort von der ‚Allmacht Gottes', sondern gegenüber der Heilsallmacht Gottes, die sich solidarisch zeigt mit menschlicher Ohnmacht und den Erniedrigten aufrichten will. Denn das bedeutet Herrschaft Gottes.

Die *jahwistische Theologie* war ebensowenig blind für das Versagen der Könige Israels und hat schon lange vor der deuteronomischen Theologie eine ganz andere, königliche Theologie erarbeitet. Für diese Tradition ist das Ereignis der Einsetzung des Königtums in Israel im zehnten Jahrhundert mit all ihrem Synkretismus das völlig neue, aufklärerische, geradezu säkularisierende Ereignis aus diesem Jahrhundert, das in bestimmter Weise mit der sakralen Vergangenheit Israels bricht (siehe II, 798, Anm. 67 und Anm. 69). Wie es später auch Jesus tat, übertrat David die sakral-rituellen Vorschriften. Hungrig, nimmt er die heiligen Schaubrote (1 Sam 21,1–6; siehe Mk 2,23–28); er übertritt die Reinheitsgesetze beim Tod seines eigenen Sohnes (2 Sam 12,16–23), und wie Jesus den überflüssigen Gebrauch der Narde bei der Salbung in Betanien duldet, so gießt der durstige

David das kostbare Betlehem-Wasser, das einer seiner Tapferen unter Lebensgefahr aus dem besetzten Betlehem geholt hat, ‚sinnlos' auf den Boden: aus Solidarität mit seinen Mannschaften (2 Sam 23, 13–17; siehe 5, 13–25; vgl. Joh 12, 1–8). Dieser kluge Mann, König und Menschensohn, tut dies alles, weil er weiß, daß Gott rückhaltloses Vertrauen in ihn, den König, setzt; der freie David erinnert Jahwe auch an sein Wort (2 Sam 7, 25). Der jahwetreue König ist der freie Statthalter Gottes, der – analog zur Schöpfung Gottes als Ordnung chaotischer Urmächte – jetzt selbst die faktische menschliche Geschichte, von Chaos zu Ordnung oder Schalom, nach eigenen weisen Einsichten wird neu schaffen müssen. David, „der kleine Mann", „hinter den Schafen weggeholt" (2 Sam 7, 18 b; 7, 8 c), „aus dem Staub genommen" (1 Kön 16, 1–3; siehe 1 Sam 2, 6–8; Ps 113, 7; Gen 2, 7) und selbst nicht vertrauenswürdig, wird aus dem Staub aufgehoben, und Gott schenkt ihm rückhaltloses Vertrauen (2 Sam 7, 8–12): aus dem Staub oder aus dem Nichts erhoben zum König (offensichtlich eine alte stereotype Inaugurationsformel bei der Einsetzung eines Menschen zum König). Er, David, wird es, aufgrund dieses göttlichen Vertrauens, nach eigener Weisheit selbst schaffen müssen; frei und verantwortlich Geschichte machen müssen zum Nutzen seines Volkes. Das Wohl dieses Volkes ist abhängig von der Weisheit des Königs, der Lebensquelle aller.

Der Jahwist weiß, daß David bei diesem Auftrag versagt. Zwar wird Gott ihn deshalb korrigieren und züchtigen (2 Sam 7, 14), aber „er wird nie seine chesed (Gunst) von David wegnehmen" (2 Sam 7, 15). Gottes Vertrauen in den König wird nie zurückgenommen.

Das Besondere dieser jahwistischen Tradition liegt darin, daß sie die Geschichte der Menschen, von Adam an, von den Erfahrungen mit dem davidischen Königshaus aus zu verstehen versucht. Was dort geschieht, ist typisch für unser aller Menschsein. Was mit David geschieht, ist der Verständnisschlüssel, der unser aller condition humaine aufschließt. Der Jahwist sieht ‚den Adam' des (zweiten) Schöpfungsberichts als ‚den königlichen Menschen' oder ‚Menschensohn', das heißt einfach: jeden Menschen, aber verstanden nach dem Modell des Königs David: aus dem Staub oder Nichts von Gott eingesetzt als sein Unterkönig oder Wesir auf Erden (siehe Gen 2, 7). Der Schöpfer schenkt dem nichtigen Menschen, der wie David „aus dem Staub genommen" ist, sein volles Vertrauen. Ihm, dem Menschen, wird als Legat Gottes der Garten anvertraut. Er muß nach Ehre und Gewissen selbst verantwortlich und frei feststellen, was ihm dort zu tun obliegt, wenn auch in den von Gott gesetzten Grenzen („nicht von diesem einen Baum zu essen": alte Mythen werden in dieser Königstheologie umgedichtet). Der Mensch, der selbst verantwortlich für die irdische Geschichte ist, wird aus Chaos Ordnung und Schalom machen müssen, wie König David. Ihm sind in geschöpflichen Grenzen die Welt und die Geschichte anvertraut, und Jahwe vertraut darin dem Menschen.

Aber wie David, versagt auch ‚der Mensch', jeder Adam, jeder Menschensohn. Gott straft ihn, wenn auch immer geringer, als er es verdient hat, aber sein Vertrauen in den Menschen nimmt er nicht zurück. *Gott verzweifelt* trotz allem *nicht am Menschen*, das ist die jahwistische Schöpfungsbotschaft – nicht eine ‚Lehre von irgendwoher', sondern eine genaue historische Erfahrung: eine entsprechend dem ‚davidischen Modell' interpretierte Erfahrung. Gott vertraut dem Menschen die Aufgabe an, das Chaos unserer Geschichte zu Schalom und Ordnung, zu Heil von und für Menschen umzuschaffen. Dazu ist dem Menschen durch Gottes souverän-königliches Dekret der Schöpfungssegen Gottes gegeben. Gottes Treue ist größer als alles menschliche Versagen. Sein Reich kommt und wird einmal errichtet werden. Er, Gott, vertraut seinen Menschen auch in Zukunft.

B. GOTTES VERTRAUEN IN DEN MENSCHEN WIRD LETZTLICH NICHT BESCHÄMT

Für das Neue Testament ist *der Mensch Jesus* – der Menschensohn, der Davidssohn, der zweite Adam – der endgültige, letzte Schlüssel für das Verständnis des menschlichen Lebensdaseins, in dem Israels alter Traum feste Gestalt erhält: Endverheißung der unbedingten Treue Gottes zur Menschheit und vollkommene menschliche Beantwortung dieses göttlichen Vertrauens. In Jesus erhalten die Treue Gottes zum Menschen und die Gegentreue des Menschen zu Gott ihre historisch endgültige Gestalt. Jesus ist Alpha und Omega. Das ist die Botschaft des Neuen Testaments.

Während seines Lebens hatten die Jünger Jesus gefragt: *„Herr, wie werden wir sein, wenn dieses Endreich anbricht?"* Aber in den späteren neutestamentlichen Kirchen war inzwischen die Situation völlig anders. Die Frage lautete dann: „*Herr, wie sollen wir als Christen leben inmitten dieser Welt?*" In Erinnerung an die Inspiration Jesu und seine vielen Orientierungen beantwortet vor allem das Mattäusevangelium diese Frage mit seiner Bergpredigt. In dieser Bergpredigt steht im Kontext der Seligpreisungen von Armen, Weinenden und Unterdrückten (Mt 5, 3–12) die große, alttestamentliche, ‚jesajanische‘ Prophetie, die Jesus zu der seinen gemacht hattte: „Jahwe hat mich gesalbt, er hat mich gesandt, um den Armen die frohe Botschaft zu bringen, den Gefesselten die Rückkehr zum Licht, ... alle Trauernden zu trösten, einen Kopfschmuck zu geben statt der Asche, Freudenöle statt der Traueröle, Lobgesang statt verzagendem Geist" (Jes 61, 1–3) (siehe I, 153 bis 158). Eine Botschaft für Arme, Weinende und Unterdrückte: das ist der Kern der Bergpredigt und das Grundgesetz des Christseins in dieser Welt. Was ist der Inhalt dieser Botschaft an die Armen?: „die Botschaft von *eurer Rettung,* nämlich: Euer Gott ist König" (Jes 52, 7), das heißt, Gerechtigkeit und Liebe wohnen jetzt unter den Menschen. Dazu habe ich, Jahwe, dich gerufen ... als ein Licht für die Welt" (Jes 42, 6). Verschiedene alttestamentliche Traditionen laufen hier zusammen.

Jesus hat sich mit dieser Botschaft so sehr identifiziert, daß für das Neue Testament dieses Evangelium Jesu nicht von seiner Person zu trennen ist. ‚Eu-angelion‘, Evangelium ist nicht nur ‚Jesus von Nazaret‘, sondern wesentlich auch das Bekenntnis zu Jesus als dem Kommenden: „dem Christus, seinem einzigen Sohn, unserem Herrn". Kein Evangelium ohne Jesus, aber auch kein Evangelium ohne den kommenden Christus. Das ist die Grundgegebenheit des Neuen Testaments. Jedoch so, daß der ganze Inhalt dessen, was Christus ist, innerlich durch das bestimmt wird, was und wer Jesus von Nazaret ist, was er gesagt und getan hat und, als Konsequenz seiner Botschaft und seines Handelns und Auftretens, gelitten hat. Evangelium ist neutestamentlich gute Nachricht, weil Heil von Gott her, manifestiert in und durch Jesus Christus: Kommen des Reiches Gottes.

So sind die Botschaft und die Person Jesu – über eine lange Geschichte – mit der großen jüdischen Heilserwartung des nahenden Reiches Gottes verbunden, verbunden auch mit den königlich-messianischen Erwartungen Israels als dem Modell allgemein-menschlicher Erwartungen, verbunden schließlich mit der Schöpfung als Anfangspunkt dieses kommenden Geschehens, in welchem Gott seinen Kampf gegen die chaotischen Mächte *dem Menschen anvertraut*. In diesem Kampf ist der Mensch Gottes eigener Statthalter auf Erden. Gott vertraut es dem Menschen wirklich an, trotz allem und ohne jeden Grund im Menschen selbst, das heißt als freies Geschenk und bedingungslos. ,Der Mensch' oder ,der Menschensohn' – *zuerst* der König, *später* jeder Mensch – ist *letztlich* ,Jesus von Nazaret' (siehe auch in Hebr 2, 8–9 dieses Übergehen vom ,Menschen' auf ,Jesus Christus'). In ihm wurde Gottes gewagtes Vertrauen in den Menschen nicht zuschanden. Trotz allem – sogar trotz der Hinrichtung des eschatologischen Propheten von Gottes nahendem Reich des Heils von und für Menschen – kommt dieses Reich doch: Auferstehung! Die Schöpfungsverheißung, zu der die tatsächliche Geschichte der Menschen wiederholt in Widerspruch geriet, wird zur Vollendung gebracht. Der alte Traum Israels vom kommenden Reich als Schalom für Menschen, *in die Hände des Menschen gelegt,* ist denn auch der Erwartungs- und Erfahrungshorizont, in dem Jesus gesehen und interpretiert werden muß: *der Mensch,* in dem der Schöpfungsauftrag geglückt ist, wenn auch noch unter den Bedingungen einer Leidensgeschichte. Die Folge ist, daß *Vertrauen in diesen Menschen* die *Konkretisierung* des *Glaubens an Gott,* den Schöpfer Himmels und der Erde, ist, der durch seinen Schöpfungsakt dem Menschen bedingungslos Vertrauen schenkt. Ohne dieses göttliche Vertrauen in den Menschen hätte die Schöpfung tatsächlich keinen Sinn! Dieser Mensch Jesus macht es uns möglich, zu glauben, daß Gott den Menschen tatsächlich sein bedingungsloses Vertrauen schenkt – während gerade das, was in unserer Leidensgeschichte geschieht, für viele der Grund ist, daß sie nicht mehr an Gott glauben können. Nach Auschwitz wird der Glaube, daß Gott Menschen vertraut, furchtbar auf die Probe gestellt. Und doch! sagt die jüdisch-christliche Erfahrungstradition.

Darin kommt zum Ausdruck, daß *Glaube an Gott* unmöglich ist ohne *Glaube an den Menschen*. Das Christentum drückt das in seinem Glaubenssymbolum aus: „*Ich glaube an Gott,* den Schöpfer des Himmels und der Erde, und *an Jesus:* den Christus, seinen einzigen Sohn, unseren Herrn." Dieser Glaube sowohl an Gottes Vertrauen in den Menschen als auch an diesen Menschen Jesus ist so paradox, daß er nur möglich ist in der Kraft des Geistes Gottes: „*Ich glaube an den heiligen Geist.*" Das Paradox liegt in unserem Glauben, daß Gott dem Menschen vertraut, während wir kaum einen Grund haben, ,dem Menschen', anderen und uns selbst, zu vertrauen. Viele alttestamentliche Anklänge aufnehmend, drückt Paulus es so aus: „Er liebte uns, als wir noch Sünder waren" (Röm 5,8).

Das macht die neutestamentliche Botschaft *universal*, denn dadurch ist sie im universalen Schöpfungsgeschehen verankert: im Glauben an Gott, den Schöpfer des Himmels und der Erde, der daher richten wird „Lebende und Tote" – alle. Schöpfung und Heil erhellen sich denn auch gegenseitig und wesentlich. Jede andere, entfremdende Auffassung von der Schöpfung, als Akt des Vertrauens Gottes in den Menschen, wird daher die christliche Auffassung von Jesus verzerren oder sogar unmöglich machen. Denn Schöpfungsglaube ist erst dann befreiend – das geht ganz aus dem Vertrauen Jesu in seinen Schöpfer, den Vater, hervor –, wenn wir die Schöpfung weder dualistisch noch emanatistisch verstehen.

C. SCHÖPFUNG: LIEBEVOLLES VERWEILEN GOTTES BEI DEM ENDLICHEN – DEM NIEDRIGEN

Dualismus in diesem Zusammenhang ist entstanden aus dem Zorn des Menschen über das Leiden und das Böse, das Unrecht und die Sinnlosigkeit in unserer Welt, Natur und Geschichte. Er leugnet daher, daß Gott die Welt gerade in ihrer Weltlichkeit und den Menschen gerade in seiner Menschlichkeit erschaffend gewollt hat. Endlichkeit ist dann nicht die normale Verfassung des Geschöpfes, sondern wird auf irgendeine Katastrophe bei der Erschaffung oder auf eine geheimnisvolle Ursünde zurückgeführt. Für diese so gedeutete geschöpfliche Situation liegt Heil oder Heilsein, das heißt die wahre, integre Gestalt unseres Menschseins, denn auch in einem entweder vergangenen, verlorenen Paradies oder in einer apokalyptisch kommenden neuen Erde und neuen Menschheit, die Gott erst später, nämlich auf den Trümmern unserer Welt, in einer unerwarteten, plötzlichen Zukunft schaffen wird, die – angesichts des Trümmerhaufens, auf dem wir leben – am Kommen ist. Die Schöpfungswelt ist so gesehen eine Art Kompromiß zwischen Gott und irgendeiner finsteren Macht.

Emanatismus dagegen unterscheidet sich seinem Wesen nach nicht allzusehr vom Dualismus, aber er entstammt doch einem ganz anderen Lebensgefühl, nämlich der Sorge, Gottes Transzendenz zu sichern.

Gott ist so groß und so erhaben, daß es seiner nicht würdig ist, sich unmittelbar mit Geschöpfen zu befassen und sich dadurch zu kompromittieren. Er vertraut die Schöpfung einem Sachwalter an, einem ersten Statthalter von einem etwas niederen Rang. Welt und Mensch sind in diesen Auffassungen Degradationen Gottes – degradierte Göttlichkeit, denn dieser Ausfluß der Dinge aus Gott wird auch als ein notwendiger Prozeß gesehen.

In beiden Fällen – den dualistischen und den emanatistischen Schöpfungsauffassungen – besteht Heil oder Wohl des Menschen dann konsequent darin, sich über seine menschlichen und weltlichen Bedingungen und seine eigene menschliche Besonderheit zu erheben, um so nach einem übergeschöpflichen Status zu greifen. Das aber verzeichnet die ganze frohe Botschaft von der Schöpfung. Der alttestamentliche Genesisbericht sieht die sogenannte Ursünde des Menschen nicht darin, daß der Mensch nur Mensch sein will in einer Welt, die nur Welt ist, sondern vielmehr darin, daß der Mensch seine endliche oder kontingente Verfassung nicht hinnehmen will; er sehnt sich nach Nicht-Endlichkeit: nach Unsterblichkeit und Allwissenheit, um Gott gleich zu werden.

Im bewußten Gegensatz zu solchen Schöpfungsauffassungen sagt nach einer langen Reifungsgeschichte der jüdisch-christliche Schöpfungsglaube, daß Gott Gott , die Sonne Sonne, der Mond Mond und der Mensch Mensch ist, und daß gerade darauf Gottes Schöpfungssegen ruht: Es ist gut so. Es ist gut, daß der Mensch nur Mensch ist, die Welt nur Welt, das heißt Nicht-Gott, kontingent: Sie hätten genauso gut nicht sein können, und doch werden sie der Mühe und Preises wert genannt. Sie sind da ohne irgendeine Erklärung oder Begründung in sich oder in irgend etwas in dieser Welt, Natur oder Geschichte. Gerade deshalb kann der Glaube an den erschaffenden Gott genausowenig eine Erklärung sein, denn seinerseits ist Gottes Schöpfungsakt bedingungslos und absolut frei. Endlichkeit bedeutet dann, daß das Geschöpf keine einzige vorausbestehende Notwendigkeit besitzt und keine einzige Erklärung in einem Glied dieser Welt findet: Es ist, als reines Geschenk, unerklärlich. Nirgends – auch nicht in Gott – ist also vorgeschrieben, wie der Mensch, die Gesellschaft und die Welt aussehen müssen. Wie die Welt, die da ist, wird aussehen müssen, das wird der Mensch selbst auf Ehre und Gewissen bestimmen müssen; er wird es sich ausdenken und innerhalb der Grenzen des materiellen Alls in genauso unbeständigen Situationen ausführen müssen – eben als Geschöpf.

Der Grundfehler vieler Auffassungen über die Schöpfung liegt darin, daß man die Endlichkeit als eine Wunde empfindet, die als solche den Dingen der Welt eigentlich nicht hätte inhärent zu sein brauchen. Man sucht deshalb nach einer besonderen Ursache dieser Endlichkeit und findet sie in irgendeiner dunklen Macht des Bösen oder in einer Art Ursünde. Mit anderen Worten, Endlichkeit wird mit dem Ungehörigen, mit einem Übel, sogar mit Sündigkeit oder Abfall identifiziert, mit einer Wunde im Sein des Menschen und der Welt. Als ob Kommen und Gehen, Sterblichkeit, Versagen, Fehltritte und Unwissenheit nicht zur normalen Verfassung unseres Menschseins gehörten und als ob der Mensch anfangs mit mancherlei ,übernatürlichen' Gaben wie Allwissenheit und Unsterblichkeit ausgestattet gewesen wäre, mit Dingen, die der Mensch durch den Ursündenfall verloren hätte. Bei genauem Lesen zeigt sich, daß der Genesisbericht, wenn auch in mythischen Begriffen, gerade gegen solche Vorstellungen protestieren will. Wenn Gott Schöpfer ist, dann erschafft er wesensgemäß das Nicht-Göttliche, das ganz andere, als er selbst ist, mit anderen Worten endliche Dinge. Geschöpfe sind keine Kopien Gottes. Das hat der jüdisch-christliche Schöpfungsglaube sehr genau gesehen, wenn man auch zugeben muß, daß unter fremdem Einfluß oft viel Falsches in die Schöpfungsvorstellungen, auch die vieler Christen, geraten ist. Das Besondere dieses christlichen Schöpfungsglaubens will ich vor allem unter zwei Aspekten beleuchten:

a) Zunächst sagt dieser Glaube, daß wir unsere Kontingenz oder Endlichkeit überhaupt nicht zu übersteigen und ihr zu entfliehen oder sie als eine Wunde anzusehen brauchen. Wir dürfen und müssen nur Mensch sein in einer Lebenswelt, die nur Welt ist: bezaubernd, aber auch sterblich, fehlerhaft, leidend. Die Endlichkeit übersteigen zu wollen wäre Größenwahn, der den Menschen sich selbst, der Welt und der Natur entfremdet. Menschsein und Welt sind kein Fall, kein Abfall von Gott, keine Katastrophe und ebensowenig grundsätzlich eine Prüfung in Erwartung besserer Zeiten. Wenn Gott Schöpfer ist, dann ist das Geschöpf wesensgemäß Nicht-Gott, anders als Gott; dann darf es anders sein, und das schließt auch die Last ein, unter Unwissenheit, Leiden und Sterblichkeit, Kommen und Gehen, Versagen und Fehltritten zu leiden. Endlichkeit oder Kontingenz bedeutet, daß der

Mensch und die Welt in und aus sich selbst in einem Vakuum über dem absoluten Nichts hängen. Zwischen Welt und Gott gibt es nichts, was für die Interpretation ihres Verhältnisses herangezogen werden kann. Das meint man, wenn man in symbolischer Sprache von ‚Erschaffen aus dem Nichts' spricht.

b) Aber die Konsequenz dieses Schöpfungsglaubens ist auch, daß die Not dieses Hängens über dem absoluten Nichts zugleich die absolute Gegenwart Gottes im und beim Endlichen als Kehrseite hat. Endliche Wesen sind eine Mischung aus Einsamkeit und Gegenwart, und deshalb hebt der Glaube an den erschaffenden Gott die Endlichkeit nicht auf und sieht sie nicht fälschlich als Sündhaftigkeit oder Verfall, sondern nimmt dieses Endliche in Gottes Gegenwart auf, ohne Welt und Mensch ihre Endlichkeit zu nehmen oder diese negativ zu sehen. Darin unterscheidet sich der christliche Schöpfungsglaube auch von *pantheistischen* Auffassungen; denn wenn Gottes Gegenwart bedeutete, daß alles außerhalb von Gott irgendwie zur Illusion oder als zur eigenen Definition Gottes gehörend erklärt wird, dann wäre Gott offensichtlich nicht genügend aktiv zugegen, um autonome und doch nicht-göttliche Wesen zu schaffen. Christlich gesehen, sind die Welt und der Mensch das Total-Andere als Gott, aber in der Gegenwart des erschaffenden Gottes. Daher kann sich das, was anders ist als Gott, nie aus dem göttlichen Schöpfungsakt zurückziehen, mit anderen Worten, Gott bleibt bei und mit dem Kontingenten, dem Anderen-als-Gott – der Welt in ihrer Weltlichkeit und dem Menschen in seiner autonomen, aber endlichen Menschlichkeit.

Diese zweifache Besonderheit schließt ein, daß (im Gegensatz zur Ansicht von Dualismus und Emanatismus) Heil von Gott her nie darin besteht, daß Gott uns *aus* unserer Endlichkeit und aus allem, was diese mit sich bringt, erretten wird. Für einen erschaffenden Gott liegt gerade darin Gottes eigene Ohnmacht. Dann will er auch, absolut frei, diese Ohnmacht. Das bedeutet aber auch, daß er unser Gott sein will *in* unserer Menschlichkeit und *für* unsere Menschlichkeit, in und bei unserer Endlichkeit. Es bedeutet, daß wir also *Mensch* sein dürfen in Menschlichkeit, wenn auch in Sterblichkeit und Leiden. Aber diese an sich sehr schwere Last bedeutet zugleich, daß Gott bei und mit uns ist, auch *in* unserem Versagen, auch *in* unserem Leiden, auch *in* unserem Tod, genauso wie in und bei all unseren positiven Erlebnissen und Erfahrungen von Sinn. Es bedeutet ebenfalls, daß er vergebend zugegen ist beim Sünder. Denn die Grenze zwischen Gott und uns ist unsere Grenze, nicht die Grenze Gottes. Das hat bedeutende Konsequenzen. Durch die Anerkennung und Hinnahme unserer Grenzen und der Grenzen der Natur und der Geschichte erkennen wir dann die Göttlichkeit Gottes an; und die Endlichkeit von Mensch und Welt anerkennen heißt das anerkennen, was Mensch und Welt ihre Besonderheit gibt, und zugleich ihre Nicht-Göttlichkeit und somit Begrenztheit anerkennen und dem entsprechend handeln.

Weil die Aussagbarkeit Gottes, also unser Sprechen von Gott als Schöpfer, nur möglich ist in der Indirektheit christlicher Vermittlung, nämlich unserer kontingenten Natur und Geschichte, werden ipso facto diese Vermittlungen als nicht-göttlich erfahren; sie dürfen nicht verabsolutiert oder vergöttlicht werden. Hier liegt unter anderem die kritische Kraft des Schöpfungsglaubens, der daher zugleich Heil von und für und Gericht über Mensch und Welt bedeutet. Diese Grenze, von uns aus zu Gott hin, aufheben zu wollen, nennt die Bibel die fundamentale Menschensünde, die sich im Lauf der Geschichte ständig wiederholt. Anderseits macht dieser Schöpfungsglaube uns frei für unsere eigene Aufgabe in der Welt. Das genießen und lieben, was in der Welt weltlich ist, was im Menschen menschlich ist, heißt das genießen und lieben, was an Gott göttlich ist. Gottes Ehre liegt im Glück, im Wohlergehen des Menschen in der Welt: Das scheint mir die beste Definition dessen zu sein, was Schöpfung bedeutet. Diese Schöpfung ist dann kein einmaliges Geschehen irgendwann am Anfang, sondern ein fortwährendes dynamisches Geschehen. Gott will, hier und jetzt, Ursprung der Weltlichkeit der Welt und der Menschlichkeit des Menschen sein. Er will bei uns sein in und bei unserem endlichen Auftrag in dieser Welt.

Der Glaube an den Schöpfergott ist nie eine *Erklärung;* nach eigenem Selbstverständnis will er das auch nicht sein. Dieser Glaube ist eine frohe Botschaft, die etwas über Gott, Mensch und Welt aussagt, und zwar in ihrer gegenseitigen Beziehung. Er ist eine Botschaft, die der Mensch primär nicht von irgendeiner Autorität hört, die der eigenen Erfahrung fremd ist. Im Gegenteil, er ist eine Einladung, ein Echo, das er aus der eigenen vertrauten Erfahrungswelt vernehmen kann: aus Natur und Geschichte. Natur und Geschichte sind Mittel, mit deren Hilfe sich Gott als Schöpfer in und durch unsere fundamentalen Erfahrungen der Endlichkeit enthüllt.

Wenn der jüdisch-christliche Schöpfungsglaube keine Erklärung unserer Welt und unseres Menschseins sein will, läßt dieser Glaube uns ganz andere Fragen stellen, als wenn wir die Schöpfung, zu Unrecht, als Erklärung verständen. Wenn Gott die *Erklärung* dafür wäre, daß die Dinge und die Ereignisse das sind, was sie sind, dann wäre jeder Versuch, sie zu verändern, tatsächlich gotteslästerlich. Dann bestände nur die Pflicht, sich in das vorausbestimmte und -konzipierte Universum einzupassen. Dann würde Gott zum Garanten der etablierten Ordnung – nicht ,Salvator', wie die Christen ihn nannten, sondern ,Conservator', wie die römisch-hellenistischen Religionen ihn genannt hatten. Die Konsequenz einer solchen falschen Auffassung ist, daß, sollte etwas schiefgelaufen sein, die einzig sinnvolle Veränderung von Welt und Gesellschaft in einer Restauration oder einer Wiederherstellung der Dinge nach ihrer idealen Ordnung liegt. Ob man diese ideale Ordnung dann in den Beginn der Zeiten verlegt, in das irdische Paradies, oder in eine ferne Zukunft oder ans Ende der Zeiten, in ein kommendes goldenes Zeitalter, bedeutet strukturell gesehen wenig. In beiden Fällen wird der Schöpfungsbegriff verfälscht zu einer unpassenden *Erklärung*, statt daß er eine *frohe Botschaft* für Menschen ist, die sich wegen ihrer Endlichkeit oder ihrem Hängen im absoluten Nichts bedrängt fühlen. Ob man die Geschichte als einen Abfall von einem ursprünglichen idealen Zustand oder als einen progressiv-evolutiven Fortschritt auf einen idealen Zustand hin ansieht, macht als Erklärungsschema keinen Unterschied: In beiden Fällen verkennt man die Kontingenz als Wesensmerkmal von Mensch und Welt. Man führt dann die Geschichtlichkeit entweder auf die genetische Entwicklung einer im voraus festgelegten Planung oder auf eine chronologische, entwicklungslogische Progressivität oder den Fortschritt zurück. Der wesentlichste Aspekt aller Geschichtlichkeit wird dabei vernachlässigt, nämlich die Endlichkeit: Alles hätte genauso gut nicht sein und es hätte anders sein können, als es in Wirklichkeit ist.

Das gilt für alles, was sich in dieser Welt, in Natur und Geschichte, zeigt. Auch Institutionen, konkrete historische Gestalten wie Sprachen, Kulturen und Zivilisationen, sogar die Formen der Religionen sind sterblich; sie kommen und gehen; und dann braucht es uns nicht zu verwundern, daß ein Tag kommt, da sie gehen. Nichts von allem ist nicht-kontingent. Auch für die Materie bedeutet dies, daß sie, als Zusammenwirken von Zufall und Notwendigkeit, ein faktisches

Ergebnis ist, das nicht hätte zu sein brauchen oder anders hätte sein können. Die Endlichkeit jedes Werdeprozesses wird durch eine Schöpfungsauffassung annulliert, die sich selbst als eine Erklärung dieser Phänomene in Natur und Geschichte versteht. Das gilt, auf menschlicher Ebene, auch für den Menschen. Wenn wir erschaffen sind, und das bedeutet: wenn wir nach dem Bild und Gleichnis Gottes erschaffen sind, dann muß der Mensch etwas anders sein als ein Conservator, ein Restaurator und Entdecker dessen, was doch schon gegeben ist. Dann wird der Mensch eher selbst zum Prinzip dessen, was er tun wird, und alles dessen, was er aus der Welt und der Gesellschaft machen wird – und was hätte nicht sein können und faktisch doch ist dank dem endlichen menschlichen freien Willen. Gott erschafft den Menschen als Prinzip eigenen menschlichen Handelns, das selbst also die Welt und ihre Zukunft wird entwerfen und in wechselnden Situationen ausführen müssen. Denn Gott kann nie der absolute Ursprung der *Menschlichkeit* des Menschen sein, also kein Schöpfer, wenn er den Menschen nur zum Ausführer einer göttlichen vorabgegebenen Blaupause machen würde. Im Gegenteil, er erschafft den Menschen zum freien Entwerfer seiner eigenen menschlichen Zukunft, die zu verwirklichen ist in kontingenten Situationen dank dem endlichen menschlichen freien Willen, der zwischen verschiedenen Lösungen, auch zwischen Gut und Böse, wählen kann – eine Unterscheidung, die nicht dieser Freiheit vorausgeht, sondern die der Mensch, frei wählend, konstituiert. Sonst werden auf subtile Weise wiederum die Weltlichkeit der Welt und die Menschlichkeit des Menschen aufgehoben.

Noch zu Beginn des 19. Jahrhunderts hat es eine päpstliche Verurteilung der Impfung gegen die Pocken gegeben, die damals ja als Strafe Gottes gedeutet wurden, wiederum aus einer irrigen erklärenden Auffassung von der Schöpfung. Heute noch wird die Geburt eines mißgestalteten Kindes zwar nicht mehr als Strafe Gottes gesehen, aber oft doch als eine göttliche Pädagogik interpretiert, was genauso eine erklärende Schöpfungsauffassung verrät. Solche gotteslästerlichen Interpretationen wären nicht nötig gewesen, wenn man über den christlichen Schöpfungsglauben tiefer nachgedacht hätte und somit über das, was die Kontingenz an unberechenbaren Möglichkeiten umschließt, wofür weder Gott noch Geschöpfe verantwortlich sind, während dieses Geschehen weder Gott noch Mensch gleichgültig läßt und zur Stellungnahme herausfordert.

Die Veränderung der Welt, das Entwerfen einer besseren, menschlicheren Gesellschaft und neuen Erde hat der endliche Mensch selbst in die Hand bekommen; er kann daher von Gott nicht erwarten, daß er unsere Probleme löst. Wir können, aufgrund eines richtigen Schöpfungsglaubens, nicht Gott zuschieben, was unsere Aufgabe in dieser Welt ist, angesichts der (auf unsere Seite) unerbittlichen Grenze zwischen dem Unendlichen und dem Endlichen, durch die Gott in dem Seinen ist und der Mensch in dieser Welt. Leiden und Übel überall dort zu überwinden, wo wir ihnen begegnen, mit allen möglichen Mitteln der Wissenschaft und Technik, mitmenschlicher Hilfe und notfalls, wenn es nicht anders geht, vielleicht durch Revolution, ist unser Auftrag und unsere Last in aller Endlichkeit: keine Sache Gottes, nur insofern, als dies unsere Aufgabe ist in der absoluten Gegenwart Gottes und daher eine menschliche Angelegenheit, die auch Gott am Herzen liegt. Daß die Welt so aussieht, wie sie aussieht, ist bei allen Zufälligkeiten und ursächlichen Zusammenhängen auch aus dem historisch-sozialen Willen der Menschheit selbst in ihrer dialektischen Beziehung zur Natur zu verstehen.

Das schließt auch ein, daß die grundsätzliche Möglichkeit einer übersteigenden Negation gegeben ist, als Antizipation oder Zukunftsentwurf des Menschen selbst. Der Schöpfungsglaube gibt uns keine *Information* über die innere Natur von Mensch, Welt und Gesellschaft; sie zu entdecken ist die Aufgabe der Philosophie und der Naturwissenschaften. Der Glaube aber weist wohl auf die Kontingenz all ihrer Formen und auf die Besonderheit, daß die Welt dem Menschen als Möglichkeit gegeben ist für das, was er selbst nach seinem Gewissen in allen Kontingenzen daraus machen wird. Die Welt ist eine in Freiheit zu verwirklichende Möglichkeit menschlicher Sinnentwürfe, auch wenn die Zukunft nie vollständig das Ergebnis menschlicher Planung und Ausführung ist und wenn daher auch das kontingente menschliche Leben viel Hinnahme und, in diesem Sinn, auch Ergebung verlangt. Um der menschlichen Freiheit willen ist auch eine gewisse Skepsis gegenüber der menschlichen Freiheitsgeschichte angebracht. Denn Zukunft kann nie bloß teleologisch, nach dem Schema von Ursache und Wirkung, nie bloß technologisch oder entwicklungslogisch interpretiert werden. Auch Zukunft ist kontingent und gerät daher niemals gänzlich in den festen Griff ebenso endlicher Menschen in einer kontingenten Welt. Nach dem Schöpfungsglauben ist allein Gott denn auch der Herr der Geschichte. Er hat dieses Abenteuer begonnen, und so ist es auch seine ureigenste Sache; aber das ist sein Bereich, nicht der unsere.

D. DER VORBEHALT DES SCHÖPFERGOTTES

Der religiöse Schöpfungsglaube besitzt daher eine besondere kritische und produktive Kraft gegenüber diesen pessimistischen und optimistischen, letztlich unrealistischen Auffassungen von Geschichte und Gesellschaft. So wie Veränderungen zum Guten nicht entwicklungslogisch notwendig geschehen, dürfen auch Veränderungen schlechthin nicht auf menschlichen Abfall und auf Widernatürlichkeit reduziert werden. Sowohl die restaurative Tendenz als auch die Tendenz einer progressiven Entwicklung sind unhistorisch, letztlich eine Leugnung der Kontingenz und der Sterblichkeit auch von gesellschaftlichen, politischen und ökonomischen und sogar von kirchlichen Formen der Geschichte. Hier gilt, theologisch gesehen, stets der *Vorbehalt des Schöpfergottes*, der zu Unrecht oft auf einen eschatologischen Vorbehalt verengt worden ist. Auf unserer Seite der Grenze bedeutet das: Annahme der endlichen Wandelbarkeit des Menschen, der Welt und der Geschichte. Durch diesen Glauben an Gottes Vorbehalt wird also die Endlichkeit nicht noch einmal besonders betont: Gottes Vorbehalt und die Endlichkeit von Mensch und Welt sind die beiden Seiten ein und derselben Medaille. Dieser Vorbehalt bedeutet keinen tödlichen Stoß für den Menschen (was eher Dualismus oder Emanatismus verraten würde), sondern daß die mögliche Verzweiflung, welche die Endlichkeit unseres Daseins hervorrufen kann, von Gottes absoluter Gegenwart bei seiner endlichen Schöpfungswelt aufgefangen wird; und gerade diese Gegenwart verleiht immer wieder neue Hoffnung. Er, der Schöpfer, ist ja der Schöpfer des ganzen ‚saeculum‘, so daß es keine Zeiten, keine Jahrhunderte, aber auch keine Stunde gibt, in denen er sich unbezeugt läßt.

Das bedeutet denn auch, daß der Beginn der menschlichen Freiheitsgeschichte *mit dem Beginn der Schöpfung zusammenfällt*. Daher läßt sich die Substantialisierung der Zukunft, welche die präkritische und vorneuzeitliche Vergangenheit als eine irrationale Vorgeschichte beurteil, philosophisch und theologisch schwer lokalisieren. Auch darin hat der christliche Schöpfungsglaube eine kritische Funktion. Diese hat mit der Besonderheit des christlichen Gottesbegriffs zu tun: In vielen Religionen wird die dualistische Neigung, die dem Menschen angeboren zu sein scheint, so gelöst, daß man Gut und Böse gleichermaßen in dem einen Gott ihr Prinzip finden läßt; ihr Gott ist dann ein Gott, der in gleicher Weise und mit gleichem Recht sowohl Leben als auch Tod schenkt. Sogar Ijob empörte sich schon dagegen. Nach dem christlichen Verständnis ist Gott aber „kein Gott der Toten, sondern der Lebenden" (Mt 22, 32). Mit anderen Worten, dieser Gottesbegriff erkennt Gott nur reine Positivität zu, das heißt, seinem Wesen nach ist Gott ein Förderer des Guten und Bekämpfer alles Bösen, von Unrecht und Leiden. Mythologisch wird das in den Schöpfungspsalmen dargestellt, in denen der Schöpfergott den Kampf gegen das dämonische Tier des Bösen, gegen Leviatan aufnimmt. Daher kann für den an Gott glaubenden Menschen die Inspiration und Orientierung alles Handelns allein in einem Aufruf zur Förderung alles Guten und von Gerechtigkeit und zum Bekämpfen alles Bösen, von Unrecht und Leiden in all ihren Formen liegen. Denn Gott muß immer so gedacht werden, daß er nie lediglich gedacht wird. Von Gott sprechen steht unter dem Primat der Praxis. Es steht unter der Frage: Auf was gehen wir zu? Ich habe gesagt, daß dies in aller Endlichkeit eine Angelegenheit der Menschheit ist: für welches Menschsein entscheiden wir uns schließlich? Dabei ist zu bedenken, inwieweit der Mensch seinem Status als Geschöpf Rechnung trägt, das heißt nicht nur dem Status seiner Menschlichkeit, sondern deshalb und darin, um seiner Naturgebundenheit willen, auch dem Status als Geschöpf und somit den Grenzen der Natur. Inzwischen haben wir aus unverantwortlichem Verhalten gelernt, wie die Endlichkeit dieser Natur konkret gefüllt ist. Wir sind uns der Grenzen der vorhandenen Naturschätze und des Energieverbrauchs, der Grenzen der Naturausbeutung und der Grenzen unseres Lebensraums bewußt geworden; als Folge davon haben wir auch die Grenzen der wirtschaftlichen Expansion kennengelernt; Entwicklung ist nicht unbegrenzt, das haben wir aus Schaden gelernt.

Eigentlich haben wir also eingesehen, daß wir, wenn auch unter den Bedingungen der modernen Welt, dabei waren, das zu tun, was Dualismus und Emanatismus in der Vergangenheit getan haben: Heilsuchen im Leben über unseren geschöpflichen Status hinaus, wodurch wir gerade in egoistischer Weise kommende Generationen ihrer möglichen Zukunft berauben. Das alles ruft uns auf zu dem, was ich die Dringlichkeit einer *kollektiven* Aszese entsprechend unserem Status als Geschöpf nennen möchte; wir dürfen nur Mensch sein in einem Lebensraum, der nur Welt ist.

E. DER UNERSCHÖPFLICHE
SCHÖPFUNGS-ÜBERSCHUSS

Daß das, was früher nur eine Angelegenheit der Religionen und des Christentums was, heute als gemeinsamer Auftrag aller Menschen erfahren wird, schwächt keineswegs den christlichen Glauben, im Gegenteil. Seit wann wird eine einzelne Wirklichkeitssicht weniger wahr, weil sie schließlich universalisiert, das heißt auch von vielen anderen geteilt wird? Das spricht eher für ihre Richtigkeit. Aber, so könnte man argumentieren: zugegeben, daß die Einführung vieler Wertvorstellungen, vor allem im Westen, auch der christlichen Erfahrungstradition zu verdanken ist; jetzt aber sind sie Gemeingut aller geworden, und deshalb können wir heute unter Dank an das Christentum für die erwiesenen Dienste diesem christlichen Glauben Lebewohl sagen – ein Gedanke, den man links und rechts bisweilen hören kann. Ich glaube, daß wir dann zu wenig an das unerschöpfliche Erwartungs- und Inspirationspotential des christlichen Schöpfungsglaubens denken. Die sogenannte Säkularisierungstendenz, die ich, verstanden als allmähliche Universalisierung ursprünglich-religiöser Inspirationen, für richtig halte, scheint mir aber als Totalitätsthese ein verhängnisvoller Kurzschluß zu sein, und zwar aus zwei fundamentalen Gründen.

Der *erste* Grund ist die Endlichkeit selbst. Die Endlichkeit, die eigentlich die Definition aller Säkularität ist, läßt sich ja selbst nie vollständig säkularisieren, denn dann würde die moderne Welt ja doch ein Zaubermittel finden müssen, um die wesentliche Endlichkeit von Mensch und Welt aufzuheben. – Der *zweite* Grund liegt im Selbstverständnis der Religionen und vor allem des Christentums. Mitmenschlichkeit, der Richtpunkt ,weltlichen' Erlebens, ist zumindest in der christlichen Erfahrungstradition nicht nur als ethische, sondern vielmehr als *theologale* Ausrichtung gemeint (,virtus theologica', sagt die Tradition). Die christliche Tradition sieht also in der Mitmenschlichkeit eine religiöse Tiefendimension, die gerade mit der Glaubenseinsicht zusammenhängt, daß die Endlichkeit nicht in ihrer Einsamkeit gelassen, sondern von der absoluten Gegenwart des Schöpfergottes getragen wird. Und diese Gegenwart bleibt eine unerschöpfliche, nie zu säkularisierende Quelle.

Ich glaube, es ist gerade die kritische und produktive Kraft des wahren Schöpfungsglaubens, daß das, was aus ihm an stets universalisierbaren und in diesem Sinn säkularisierbaren Werten, an Inspiration und Orientierung zum Vorteil aller Menschen frei wird und sich so gleichsam dem Monopol oder der Partikularität der Religionen und des Christentums ‚entzieht‘, nie das unerschöpfliche Erwartungs- und Inspirationspotential des Schöpfungsglaubens einholen kann. Denn Säkularität besagt Endlichkeit. Und wenn auch die nicht-religiöse Säkularität darin nur Endlichkeit sieht, so erblickt die religiöse und christliche Säkularität in dieser Endlichkeit zugleich Gottes unerschöpfliche, weil absolute Gegenwart. Aus diesem Grund wird Endlichkeit oder Säkularität bis in Ewigkeit auf die alle Säkularität übersteigende Quelle und Ursache, Inspiration und Orientierung *hinweisen*, welche gläubige Menschen den lebendigen Gott nennen und der keiner Säkularisierung unterworfen ist. Gerade deshalb ist der Schöpfungsglaube auch die Grundlage von Gebet und Mystik. In der Schöpfung steckt ein ‚Zuviel‘, das sich auf keine Säkularität reduzieren läßt. Darum läßt sich auch die Fülle des Heils nicht auf das reduzieren, was Menschen daraus machen. Heil des Menschen ist *Gott selbst*, als Heil-Sein des Menschen. Das schließt ein, daß das Glaubenserleben – nennen wir es ‚Mystik‘, ohne damit außergewöhnliche Dinge zu meinen – der Kern alles menschlichen Heils ist – Mystik aber, die sich, aus und mit dem inneren Gotteserleben, auf den Menschen richtet. So ist, auch nach dem Zeugnis eines Mystikers wie Meister Eckhart, nicht die in der Mystik verweilende Maria, sondern die für den Mitmenschen tätig sorgende Marta das Vorbild aller Mystik. So ist die Mystik tatsächlich die Quelle bleibender Verbesserung des menschlichen Lebens und der Gesellschaft, Quelle des Heils von und für Menschen.

F. ESCHATOLOGISCHER ÜBERSCHUSS

Zwar umfaßt christliches Heil auch irdisches Heil, aber nach oben hin ist dieses Heil in Jesus von Gott her tatsächlich undefinierbar; das irdische Heil geht in ein großartiges Mysterium über. Wir können Gottes Möglichkeiten nicht auf unsere begrenzten Heilserwartungen festlegen. Positive Bestimmungen des definitiven Heils laufen Gefahr, menschlich megaloman zu werden oder Gottes Möglichkeiten herabzusetzen und dadurch auch den Menschen kleiner zu halten, als Gott ihn sich träumt (II, 772–786).

Wegen der Undefinierbarkeit dieses endgültigen Heils, das heißt eines vollkommenen und universalen Heilseins aller und jedes einzelnen, von Lebenden und Toten, kann das Ende dieser Geschichte Gottes mit den Menschen in Jesus innerhalb der engen Grenzen unserer Geschichte von niemandem vollendet oder bis zu Ende erzählt werden. Denn der Tod eines jeden zerreißt bestenfalls immer wieder den Faden einer befreienden Geschichte. Gibt es dann kein Heil mehr, selbst nicht für den, der die Fackel dieser Geschichte weitergegeben und unter den Lebenden brennend gehalten hat und vielleicht deshalb zu Tode gemartert wurde? Die Endvollendung des Heilsweges Gottes mit den Menschen kann daher ‚nicht von dieser Welt‘ sein, obwohl das befreiende Aufbrechen Gottes mit den Menschen, die er rettet und heil macht, in stets wiederholbaren und in unserer Geschichte stets eingeholten Gestalten einen wahrnehmbaren Inhalt erhalten darf und muß.

Obwohl das endgültige Heil eschatologisch ist und als solches wesensgemäß nicht *als schon vorhandener* Erfahrungsinhalt erfahren werden kann, ist das gläubige Bewußtsein der *Verheißung* einer endgültigen Heilsperspektive doch tatsächlich *in einer jetzigen Erfahrung* gegeben, nämlich in Bruchstücken einzelner Heilserfahrungen, dank Jesus Christus. Nur aus solchen partiellen Heilserfahrungen erhält das kirchliche verkündigende ‚An- und Zusagen‘ endgültigen Heils aus der Geschichte von und über Jesus als den Christus für Gläubige eine reale Bedeutung. Ohne diese religiöse Geschichte von Jesus Christus werden wir höchstens mit einer Befreiungsutopie konfrontiert, die vielleicht einige Lebens- und Heilschancen für Menschen am fernen Horizont unserer Geschichte suggeriert, aber die übrige Menschheit aus dieser ‚Vorgeschichte‘ einfach zugunsten einer einst zu realisierenden Utopie abgeschrieben hat. Das endgültige Heil überschreitet zwar durchaus unsere heutige Erfahrung – niemand unter uns erfährt schließlich aktuelles Heil-Sein –, aber sofern diese verheißungsvolle Ankündigung von Heil gültig genannt werden kann und darf, hat sie doch ihre Grundlage in einem Erfahrungszusammenhang, hier und heute: Jesu und derer, die ihm in dieser Welt ‚nachfolgen‘, auch aller, die faktisch das tun, was Jesus getan hat. Diese eschatologische Verheißung kann nicht bloß auf einer *Wort*offenbarung gründen – ‚Wort‘ ist anthropologisch übrigens ein Ausdruck menschlicher Erfahrung und Praxis –, also nicht auf einem bloß verkündigenden Ansagen eines kommenden, endgültigen und allgemeinen Heils. Denn weswegen sollte ein solches ‚Ansagen‘ realen Wert haben? Als Exeget Gottes und Vollzieher eines Handelns nach dem Reich Gottes hat Jesus ebensowenig nach einer Blaupause oder einem festumrissenen Begriff eschatologischen und endgültigen Heils gehandelt. Vielmehr sah er *in und durch* seine eigene geschichtliche und somit begrenzt situierte Praxis eines ‚Gutes tuenden Umhergehens‘, der Heilung, Befreiung von den herrschenden dämonischen Weltmächten und der Versöhnung eine ferne Vision endgültigen, vollkommenen und universalen Heils aufleuchten: „Siehe das Zelt Gottes unter den Menschen! Er wird bei ihnen wohnen. Sie werden sein Volk sein, und er, Gott mit ihnen, wird ihr Gott sein. Und er wird alle Tränen von ihren Augen abwischen, und der Tod wird nicht mehr sein; keine Trauer, kein Weinen, kein Schmerz wird mehr sein, denn alles Alte ist vergangen" (Offb 21,3–4); so hat, mit Recht, die christliche Apokalypse die Vision des Auftretens Jesu interpretiert: das Reich Gottes in Endgestalt, das Jesus Christus jetzt schon positiv verbürgt.

Epilog
Ja oder nein, ist für Sie Jesus noch Gott?

Nach allem Gesagten halte ich diese Frage eigentlich für überflüssig und nur verständlich aus Kleingläubigkeit oder unangebrachter Angst um die Orthodoxie. Aber nehmen wir sogar diese Angst ernst.

In der stufenweisen Darlegung von Heilserfahrung in Jesus auf eine explizite Christologie hin wird diese Frage tatsächlich zu früh gestellt. Aber bei all seinen christologischen Projekten ist ein Theologe letztlich ein Glaubender, sonst wäre selbst schon sein Projekt sinnlos, er ist auf der Suche nach dem, was er wirklich glauben kann und darf, während er christlich glaubt dank der historischen Vermittlung dessen, was ich immer ,die große christliche Tradition' genannt habe. Ich kann hier nur noch einmal sagen, was für einen unvoreingenommenen Leser schon allzu deutlich der Inhalt meiner beiden Jesusbücher ist.

Vorab erkläre ich, daß dies eine falsche Fragestellung sein kann. Es ist natürlich richtig, daß die Botschaft Jesu unverständlich wird, wenn die Hörer nicht schon eine gewisse Vorstellung davon haben, was und wer Gott ist. Auch bei den Juden, die mit Jesus in Berührung kamen und ,ihm nachfolgten', gab es ein Verständnis dessen, was ,Gott' bedeutet. Aber nach den vier Evangelien, in denen eine kerygmatische Geschichte Jesu erzählt wird, liegt die ganze Bedeutung des Menschen Jesus, der für die Juden ein Religionsgenosse war, darin, daß er durch sein Auftreten als Mensch unter Mitmenschen *in einer besonderen Weise* gezeigt hat, wer und was und wie Gott ist, als Heil für Menschen, und zwar auf der Linie dessen, was ich jetzt ,die große jüdisch-religiöse Tradition' nennen möchte. Letztlich geht es im Neuen Testament nicht um die Anwendung eines fremden Gottesbegriffs auf das, was in Jesus geschah, sondern um *das Neue*, das – innerhalb der großen jüdischen Jahwe-Tradition[1] – als Sicht auf Gott in und durch Jesus geschenkt wurde.

---

[1] Siehe u. a. *L. Dequeker*, Le dialogue judéo-chrétien: un défi à la théologie, in: *Bijdragen* 37 (1976) 2–35.

Aber was Jesus auf diese Weise tat, so daß andere in ihm entscheidendes Heil erfuhren, Heil von Gott her, ruft schließlich doch die Frage wach: Wer ist er, daß er solches zu tun vermag? Wenn er uns ein neues Verhältnis zu Gott und seinem Reich vermittelt, liegt es nahe, daß man fragt: Wie ist *sein* Verhältnis zu diesem Gott, und – *mit* Hilfe der Antwort darauf – wie ist Gottes Verhältnis zu ihm? In diesem Sinn ist die gestellte Frage nicht nur legitim, sondern auch notwendig – von dem ‚Phänomen Jesus' selbst aus gesehen.

Aus ihr wird nämlich deutlich, daß Jesus *in seinem Menschsein* ‚Bedeutung' erlangt, das heißt durch sein Verhältnis zu Gott *bestimmt wird*. Anders gesagt: Das tiefste Wesen Jesu liegt in seiner persönlichen Verbindung mit Gott (das hat auch mit dem Begriff ‚eschatologischer Prophet' zu tun, der „von Mund zu Mund", „von Angesicht zu Angesicht" mit Gott „wie mit einem Freund" spricht). Unser geschöpfliches Verhältnis zu Gott ist zweifellos auch wesentlich für unser aller Menschsein. Aber dieses Verhältnis bestimmt unser Menschsein nicht in seiner Menschlichkeit. (Nichts – kein Geschöpf – kommt ohne diese Beziehung aus, aber damit ist noch nichts über die Besonderheit dieses Geschöpfes gesagt!) Mit Jesus hat es mehr auf sich. Schon aus dem Neuen Testament geht hervor, daß Gott eigentlich nur in Begriffen des menschlichen Lebens Jesu definiert werden kann und daß Jesus als Mensch *in seiner vollen Menschlichkeit* nur in Begriffen seiner einzigartigen Beziehung zu Gott und den Menschen definiert werden kann (auch das war ein bekannter Aspekt des eschatologischen Propheten). Nach dem Neuen Testament gehört Gott durchaus in einer ganz besonderen, unvergleichlichen Weise zur Definition dessen, was und wer der Mensch Jesus ist.

Gott aber ist noch größer als seine höchste, entscheidende und endgültige Selbstoffenbarung im Menschen Jesus („der Vater ist größer als ich", Joh 14,28). Das *Menschsein* Jesu *weist* also wesentlich *auf Gott* und auf das Kommen des Reiches Gottes hin, für das er selbst sein Leben dahingab, das heißt für ‚*gering erachtete*'. Für Jesus war die Sache Gottes – das Reich Gottes als Heil für Menschen – folglich *größer* als *die Bedeutung seines eigenen Lebens*. Diese Tatsache darf keine Theologie dadurch minimalisieren, daß sie sich unmittelbar auf das beruft, was ein menschlicher Angriff auf Gott genannt werden könnte. Obwohl *Menschen* den Anschlag auf *Jesus* begehen und darin vor Gott schuldig werden, hat Jesus selbst sein Leben geringer erachtet als das, für das er einstand: das Kommen des Reiches Gottes als Heil von und für Menschen – daher geringer als Gott. In diesem sich selbst völlig außer acht lassenden Hinweis auf Gott, den Jesus seinen Schöpfer und Vater nannte, liegt die Bestimmung, das heißt die eigentliche Bedeutung Jesu. Nach christlichem Glauben ist Jesus daher – a) die entscheidende und definitive Offenbarung Gottes und – b) zeigt er uns darin zugleich, was und wer wir Menschen letztlich sein können und eigentlich sein müßten. Die Herrlichkeit Gottes ist im Angesicht Jesu des Christus sichtbar, wie das, was Menschsein eigentlich sein sollte, in derselben Erscheinung Jesu offenbar wird. Das ist die Interpretation des christlichen Glaubens. Daraus geht hervor, daß die Transzendenz Gottes nicht zu trennen ist von seiner Immanenz oder seinem Bei-uns-Sein. Gottes Wesen ist absolute Freiheit: Sein Wesen bestimmt völlig frei, wie er als Wesen für uns sein will, und das ist – von unserer Geschichte aus gesehen, in der Jesus erschienen ist, denn einen anderen Blickwinkel haben wir nicht – Heil für Menschen *in Jesus* innerhalb einer größeren Heilsgeschichte, welche die Schöpfung vom *Proton* bis zum *Eschaton* umfaßt. Wir können Gottes Wesen und seine Offenbarung nicht auseinanderreißen. Daher hat *der Mensch Jesus* bei der Bestimmung dessen, was er ist, *tatsächlich mit dem Wesen Gottes zu tun.*

Ob und wie wir das theoretisch noch genauer bestimmen können, sollen oder dürfen, danach bin ich noch auf der Suche. Ich schrecke davor zurück, das Geheimnis einer Person, vor allem der Person Jesu, sozusagen bis auf die Knochen umreißen zu wollen[2]. Wenn Menschen

---

[2] Oben habe ich gesagt, daß man bei jeder Erfahrung einen (nie adäquat durchzuführenden) Unterschied machen müsse zwischen dem Erfahrungs- und dem Interpretationselement und daß eine weitere Wirkung dieser Erfahrung von *beiden* Aspekten ausgehen muß. Aber weil es (wie inadäquat auch) doch einen gewissen Unterschied gibt, kann die immanente Entwicklung des *Interpretations*-Moments aus den Problemen, die das Interpretationsmodell selbst schon auslöst, durchaus ein eigenes Leben führen ohne Rückkoppelung an die Erfahrung. So glaube ich, daß tatsächlich in der gesamten theologischen Geschichte der Christologie bestimmte Probleme entstanden sind, die nur die inneren Konsequenzen des jeweils benutzten Interpretationsmodells sind; auf die Dauer führt eine solche (rein immanente) Entwicklung eines Modells oft zu unlösbaren Aporien. Alle weiteren Verfeinerungen des Modells helfen dann nicht mehr, und es wird höchste Zeit, von der ursprünglichen Erfahrung aus nach einem neuen Modell zu suchen und somit zumindest wiederum auf die ursprüngliche Geschichte zu hören. Mit anderen Worten, eine *spekulative Christologie* hat Grenzen zum Vorteil der religiös-symbolischen Evokation.

noch mehr zu sagen haben, als sie rational zum Ausdruck bringen können, beginnen sie, Geschichten und Parabeln zu erzählen. Damit ist kein christologischer Agnostizismus gemeint. Aber Umreißen (‚horismos‘ oder Definition) ist auch *Abgrenzen*, und dann gerät man bei diesem Abgrenzen selbstverständlich in die Gefahr, das Geheimnis zu beeinträchtigen, es zu verzeichnen: entweder nach unten (Arianismus, Nestorianismus) oder nach oben (Monophysitismus), oder in die Richtung eines zeitlosen und bloßen Paradoxes[3], und damit dem einmal historisch unter uns lebenden Jesus von Nazaret seine historischzeitliche Erscheinung als Mensch unter Mitmenschen zu nehmen.

In Jesus offenbart Gott sein *eigenes Wesen* dadurch, daß er *in ihm* Heil von und für Menschen sein will. Deshalb lege ich in meinen beiden Jesusbüchern den Nachdruck auf zwei Aspekte:

1. Das Heil des Menschen liegt im lebendigen Gott (‚vita hominis, visio Dei‘), und

2. Gottes Ehre liegt im Glück, in der Befreiung und dem Heil oder dem Heilsein des Menschen (‚Gloria Dei, vivens homo‘) (siehe I, 534; II, 625, Titel und was darauf folgt). *Im Menschen Jesus* fallen die *Offenbarung des Göttlichen* und *die Erschließung des wahren, guten und wahrhaft glücklichen Menschseins* (letztlich der höchsten menschlichen Lebensmöglichkeit) *in ein und derselben Person ganz zusammen.* Das gibt der christlichen Tradition der Christusmystik ihr Recht. Diese Mystik hat in Nicäa und Chalcedon einen passenden, aber *spätantik begrifflichen* Ausdruck gefunden.

---

[3] Hier muß auch das, was *J. B. Metz* mit Recht das „Memorativ-Narrative der Soteriologie" nennt (Glaube in Geschichte und Gesellschaft 119) meines Erachtens in einer systematischen *Christologie* nachwirken – ein Problem, mit dem sich Metz als Fundamentaltheologie nicht ausdrücklich befaßt, während hier doch erst die eigentlichen Schwierigkeiten beginnen.

WICHTIGE REZENSIONEN VON ‚JESUS, DIE GESCHICHTE VON EINEM LEBENDEN‘

H. Berkhof, in: Nederlands Theologisch Tijdschrift 29 (1975) 322–331.
E. Biser, in: Theologischer Literaturdienst 2 (1976) 76–77.
W. Breuning, in: Theologische Revue 73 (1977) 89–95.
W. Dantine, in: Materialdienst des Konfessionskundlichen Instituts Bensheim 26 (1975) 108–113; und: Lutherische Monatshefte Nr. 4, 15 (1976) 212–213.
A. Descamps, in: Revue Théologique de Louvain 6 (1975) 212–223.
J. Finkenzeller, in: Münchener Theologische Zeitschrift 27 (1976) 316–319.
J. I. González Faus, in: Actualidad bibliográfica n. 26 (1976) 259–291.
E. Grässer, in: Theologische Zeitschrift 32 (1976) 229–231.
J. Greven, in: Gereformeerd Theologisch Tijdschrift (1975) 1–16.
W. Gruber, in: Theologisch-praktische Quartalschrift 125 (1977) 193–195.
Ph. Kaiser, in: Anzeiger für die Katholische Geistlichkeit 85 (1976) 232–236.
W. Kasper, in: Evangelische Kommentare 9 (1976) 357–160.
H. G. Koch, in: Herder Korrespondenz 29 (1975) 412–418.
H. J. Kraus, in: Reformierte Kirchenzeitung 117 (1976) 138–140.
B. Lauret, in: Revue de Sciences Philosophiques et Théologiques 61 (1977) 596–604.
P. de Letter, in: The Thomist 39 (1975) 781–786.
M. Limbeck, in: Bibel und Kirche (1976) 129ff.
M. Löhrer, in: Schweizerische Kirchenzeitung 145 (1977) 7–12.
W. Löser, in: Theologie und Philosophie 51 (1976) 257–266.
K. H. Neufeld, in: Stimmen der Zeit 101 (1976) 689–702.
A. Raffelt, in: Lebendige Seelsorge 28 (1977) 34–40.
K. Reinhardt, in: Internationale Katholische Zeitschrift Communio 6 (1977) 5–20.
L. Renwart, in: Nouvelle Revue Théologique 109 (1977) 224–229.
L. Scheffczyk, in: Entscheidung 69 (1976) 3–11.
A. Schmied, in: Theologie der Gegenwart 19 (1976) 46–53.
P. Schoonenberg, in: Tijdschrift voor Theologie 15 (1975) 255–268.
R. Schreiter, in: Journal of the American Academy of Religion 44 (1976) 693–703.
E. Schweizer, in: Neue Zürcher Zeitung 89 (1976) 16. 4. 1976.
B. Standaert, in: Revue Biblique 83 (1976) 282–292.
A. Weiser, in: Lebendiges Zeugnis 31 (1976) 73–85.
G. Vergauwen, in: Freiburger Zeitschrift für Philosophie und Theologie 22 (1975) 384–409.
H. Zahrnt, in: Deutsches Allgemeines Sonntagsblatt 41 (1975).
Kosmos en Oecumene 7 (1974).

Vom gleichen Autor ist im Verlag Herder erschienen:

Edward Schillebeeckx

JESUS
Die Geschichte von einem Lebenden

6. Auflage, 672 Seiten, gebunden, ISBN 3-451-17233-X

„Schillebeeckx' Buch muß auch und vor allem als mutiger und äußerst gründlicher Versuch gewertet werden, im Rahmen einer theologischen Systematik den Ansprüchen gerecht zu werden, die sich der Theologie von der kritischen Arbeit der Exegese her stellen, und die entsprechenden Einsichten für die Theologie fruchtbar zu machen. In einem Vergleich kann man vielleicht sagen, Schillebeeckx lasse sich mit ähnlichem Eifer und mit ähnlicher Gründlichkeit auf die Problematik der historisch-kritischen Methode ein, wie Thomas von Aquin sich um eine kritische Rezeption des Aristotelismus bemüht hat... Kein Zweifel: das Buch gehört zu den imponierendsten Leistungen heutiger Theologie."
Magnus Löhrer

„Schillebeeckx ist ein auf allen Wegen moderner philosophischer Erkenntnis bewanderter Gelehrter. Seine Reflexionen über gegenwärtige Kultur, über das Verstehen von Geschichte, über das Selbstbewußtsein des modernen Menschen führen in die Tiefe des Nachdenkens... Ich habe selten ein Buch gelesen, das in universaler Gelehrsamkeit und Belesenheit eine solche Fülle neuer Aspekte, gewissenhaft-kritischer Nachfrage, geistesgeschichtlicher Orientierung und gegenwartsbewußter Verantwortung gebracht hat. Ja, dieses Buch ist ein Ereignis!
...Und kein Theologe, kein des Lesens solcher Opera fähiger Christ sollte sich die Lektüre dieses herrlichen Buches entgehen lassen."
Hans-Joachim Kraus

Verlag Herder Freiburg · Basel · Wien

Edward Schillebeeckx

CHRISTUS UND DIE CHRISTEN

Die Geschichte einer neuen Lebenspraxis

900 Seiten, gebunden, ISBN 3-451-17912-1

„Eine neue Synthese des christlichen Glaubens, die man nur mit höchstem Respekt zur Kenntnis zu nehmen und aus der wohl jeder viel zu lernen hat... Damit aber zeigt sich noch einmal, daß die Verhältnisbestimmung von Glaube und Erfahrung eines der zentralen Probleme heutigen Glaubensvollzugs ist. – Ein Stück ‚großer Theologie‘."

Gisbert Greshake

„Bildung, Gelehrsamkeit, Gedankenschärfe, Menschenliebe und Frömmigkeit gehen selten derart betreffend zusammen wie in diesem Buch. – Schillebeeckx zeichnet ein ‚Koordinatensystem des Menschen und seines Heils‘, das beider undefinierbare Offenheit wie erhoffte End-Gültigkeit in Gott erkennen läßt, die Pflicht zu hiesigem Engagement wie die Lebensnotwendigkeit der Hoffnung darüber hinaus zeigt. – Eine Übersetzung der ‚Frohen Botschaft‘ in die heutige Sprache."

Jörg Splett

Verlag Herder Freiburg · Basel · Wien